Dejar el pañal
Un programa en 5 pasos

Teresa Rosillo Aramburu

Dejar el pañal
Un programa en 5 pasos

EDICIONES PIRÁMIDE

COLECCIÓN «GUÍAS PARA PADRES Y MADRES»

Director:
Francisco Xavier Méndez
Catedrático de Tratamiento Psicológico Infantil
de la Universidad de Murcia

Diseño de cubierta: Gerardo Domínguez

Ilustraciones de cubierta e interiores: Paula Martínez-Novillo

© Teresa Rosillo Aramburu
© Ediciones Pirámide (Grupo Anaya, S. A.), 2014
Juan Ignacio Luca de Tena, 15. 28027 Madrid
Teléfono: 91 393 89 89
www.edicionespiramide.es
Depósito legal: M. 9.199-2014
ISBN: 978-84-368-3163-4
Printed in Spain

A mi padre, tan generoso... Te llevo en mi corazón.
A Lourdes y Noëlle, siempre a mi lado.
A Íñigo, Jaime y María, que iluminan mi vida.
A Nacho, mi otra mitad.

Índice

Algunas consideraciones antes de empezar 13

Introducción 15

**1. ¿Qué significa para el niño el control de esfín-
teres?** 19

**2. ¿Por qué los padres viven el control de esfínteres
de diferente forma a otros aprendizajes?** 25

La importancia de la actitud 27
    Adiós a los ruedines 30
    Adiós al pañal 31

3. ¿Cuándo es mejor quitar el pañal? 35

Es mejor quitárselo en verano. FALSO 37
No le veo maduro, no está preparado. FALSO 39
    Caso: Íñigo 41
    Caso: Pepe 42
Hay que quitar el pañal a los dos años y medio. FALSO 43
Mejor quitárselo de golpe. FALSO 43
    Caso: Aitana 46
Yo no tengo que hacer nada. Ya se lo quitarán en la escuela.
FALSO 48
Si se hace pis encima, mejor le vuelvo a poner el pañal.
FALSO 49
Si tiene escapes, es a propósito. FALSO 50
    Caso: Jorge 52

Si le premio o le castigo, lo conseguirá antes. FALSO 53
Si no le regaño, no aprenderá. FALSO 56
Si no me lo pide o no hace, es que no tiene ganas. FALSO 58
    Caso: Mencía 60
Si tiene ganas, me avisará. FALSO 61
Todos los niños aprenden más tarde que las niñas. FALSO 62
Él solo dejará el pañal. FALSO 64
    Caso: Jimena 64

4. Antes de empezar con el programa 67

Retrete u orinal 69
Cuándo es el mejor momento 72
    Ventajas de empezar a los 18-20 meses 74
    Caso: Marta 75

**Aplicación del programa. Pasos a seguir
desde los 18 meses para que el niño abandone
el pañal diurno sin problemas**

**5. Paso 1. Buscar un momento del día para ir al
baño** 79

Trucos para conseguir que se siente en el retrete 82

**6. Paso 2. Crear una rutina de ir al baño y establecer
otros momentos del día para sentarse** 87

**7. Paso 3. Quitar el pañal diurno, ¡ya está prepara-
do!** 99

Caso: Pedro 101
Los temidos escapes 104
Le he quitado el pañal y no deja de hacerse pis encima: ¿se lo
    vuelvo a poner? 110
Consolidando el paso 3 113
    El Tren SECO SECO 113
Cuando el pis es un arma 115
    ¿Qué se debe hacer? 116
    Caso: Jesús 116
Es importante que los dos miembros de la pareja estén de
    acuerdo 117
    Caso: Daniela 117

8. Paso 4. El control de las heces 121

Caso: Mercedes 127

Pautas para combatir el estreñimiento tras la retirada del pañal 129

9. Paso 5. Control en la siesta y nocturno 133

Caso: María 139

Incentivar al niño que no se levanta a hacer pis solo 142

Caso: Rubén 143

Qué pasa si decides esperar y no quitar el pañal nocturno 144

Consolidando el paso 5. El control nocturno 145

El Tren SECO SECO 146

Proceso que siguen los niños para el control de esfínteres durante la aplicación del Programa en 5 pasos 147

10. Si algo no funciona... Soluciones para las dificultades en la aplicación del programa 149

Caso: Diego 152

Caso: Almudena 153

Caso: Alberto 155

Caso: Iris 157

11. A partir de 5 años 159

Criterios diagnósticos para la enuresis 161

Tipos de enuresis 162

Causas de la enuresis 164

Enuresis diurna primaria 164

Enuresis diurna secundaria 166

Enuresis nocturna 167

Tratamientos para la enuresis diurna primaria 169

Entrenamiento en retención voluntaria 169

Tratamientos para la enuresis nocturna 170

Sistema de alarma 172

Sobreaprendizaje 173

Entrenamiento en cama seca (ECS) 174

Alternativas al entrenamiento en cama seca 181

12. Y si quieres profundizar... Nociones de fisiología: cómo funciona el sistema urinario 183

El reflejo de micción 188

La micción en los niños 189

Recursos 193
    Libros 193
    Cuentos.. 193
    Páginas web para consultar 194
    Blog... 194

Algunas consideraciones antes de empezar

Durante todo el libro se habla del término niño como genérico para referirse a los dos sexos: el masculino y el femenino.

También se nombra a los padres de manera general para referirse a las personas al cuidado del niño, sin que necesariamente tengan que ser personas con un vínculo familiar. El término padres es ampliable a profesores, educadores o cuidadores, responsables del niño en cuestión, ya sea en casa o en la escuela.

Los términos orinal y retrete son intercambiables en la obra excepto en el apartado específico, en el que se explican las ventajas o los inconvenientes de uno u otro.

El programa se enmarca en un entorno familiar, pero se puede aplicar también en un entorno escolar con la misma o mayor efectividad que la expuesta para un marco familiar, ya que en la escuela la imitación de los iguales es un factor favorecedor del aprendizaje.

Todos los aquí expuestos son casos reales a los que se les ha cambiado el nombre, la edad y alguna de las circunstancias que les rodean para la no identificación de las personas implicadas.

Introducción

¿Cuándo es el mejor momento para quitar el pañal a mi hijo? ¿Se lo quito de golpe o poco a poco? ¿Cómo sé que se encuentra preparado? Si se hace pis encima, ¿se lo vuelvo a poner?

Los padres no saben cómo ayudar a sus hijos para que aprendan a hacer pis en el cuarto de baño, de una forma controlada y sin problemas. Lo hacen por intuición, por lo que les cuentan amigos o familiares, por lo que han leído en alguna revista...

Este libro es una guía para padres y profesores que explica muy detallada y ejemplificadamente un Programa en 5 pasos para dejar el pañal. Con un lenguaje claro y sencillo, el método resulta rápido y eficaz, para que padres y/o educadores quiten el pañal a sus hijos/alumnos sin problemas. En cinco sencillos pasos, y siguiendo las indicaciones del programa, los niños abandonarán el pañal sin complicaciones, y los padres/educadores se sentirán tranquilos y seguros.

El Programa en 5 pasos es distinto a otros por el carácter eminentemente práctico del mismo. Las explicaciones de cada uno de los pasos se han elaborado a partir de las preguntas que muchos padres han realizado al aplicar el programa, tanto en la Escuela de Padres de diferentes escuelas infantiles de Madrid como en la consulta privada de Teresa Rosillo. Se ofrecen numerosos *trucos* para conseguir cada paso y pasar al siguiente sin problemas, hasta que el niño abandone el pañal. Son trucos efectivos aportados por los propios padres, por las educadoras o por la experiencia de la autora como madre y psicóloga clínica infantil.

En cada apartado se muestran ejemplos prácticos de niños que están pasando por el mismo proceso. Leyendo casos similares, los padres adquieren un conocimiento práctico y entienden más fácilmente las dificultades y las dudas que puedan surgir en la aplicación del Programa en 5 pasos para, así, anticiparse a ellas.

Nos hemos puesto en el lugar de los padres/educadores y hemos intentado dar respuesta a cualquier duda que pueda surgir con explicaciones concisas, sencillas y muy detalladas; así sabrán lo que hay que hacer en cada situación.

El libro empieza explicando el significado que para padres y niños tiene el control de esfínteres y continúa desmontando los mitos más comunes sobre el tema, como que es mejor quitar el pañal en verano.

También aborda el tema del control en la siesta y el nocturno, así como la mejor forma de afrontar la enuresis en niños mayores de 5 años, y termina con nociones básicas del sistema urinario y con una guía de recursos para consultar.

Se presentan además esquemas recordatorios y resúmenes que facilitan el aprendizaje y la búsqueda de información.

El método se ha elaborado a partir de la observación en escuelas infantiles, de la experiencia en la Escuela de Padres de Teresa Rosillo y de la aplicación de conocimientos de aprendizaje humano, psicobiología y psicología clínica infantil.

Se ha constatado su eficacia, ya que, tras su aplicación a infinidad de niños, el porcentaje de éxito del mismo durante cuatro años ha sido de un 98 por 100.

Cualquier niño (sin problemas físicos o mentales) de más de 2 años podrá dejar el pañal en unos días siguiendo el Programa en 5 pasos que aquí se presenta.

1

¿Qué significa para el niño el control de esfínteres?

El control del esfínteres supone el primer control que ejerce el niño con respecto a su cuerpo y con respecto a si quiere dar o no algo suyo, dar o no dar según quiera.

En esta edad el niño comienza a jugar con agua, con arena y con barro, se desplaza solo y hace suyos los movimientos de su cuerpo, sabiendo que quiere o no quiere hacer. El niño se adueña de su cuerpo y sólo él decide, por primera vez, si quiere ir o no al baño o si quiere retener o evacuar; su independencia comienza a tomar forma. Es la primera vez que tiene poder sobre una función de su cuerpo. Se siente grande y mayor y descubre que puede manejar su cuerpo a su antojo.

A esta fase Sigmund Freud la denominó fase anal, en donde el niño siente placer y el conflicto se centra en el área anal.

Según el psicoanálisis, la **etapa anal** es en la que el niño entra en constante contradicción entre recompensar a la madre dándole lo que ella quiere o negarse a someterse a sus deseos. Es una etapa de ambivalencia en la que aparece la tendencia al amor y al odio hacia el objeto de amor. El niño quiere también estar limpio y a la vez disfruta ensuciándose, odia y quiere al mismo tiempo.

La caca adquiere un importante valor, ya que le otorga un carácter de regalo que entrega como signo de amor a su madre. Pero también cobra una carga agresiva, constituyendo un elemento a través del cual se descargan las desilusiones y frustraciones con los objetos amados. El pensamiento funciona como un esquema de opuestos: quiero estar sucio y quiero estar limpio, te quiero y te odio.

Por otro lado, el niño siente placer cuando le limpian y le higienizan, y esto le lleva a resistirse a abandonar esta etapa, por la pérdida que esto conlleva. El deseo de independencia deberá ser mayor que el deseo de seguir siendo pequeño y que el padre o cuidador haga las cosas por él.

El control del esfínter requiere dos renuncias. Por un lado, debe renunciar al placer de ser limpiado, y por otro debe renunciar a hacer sus necesidades en cualquier sitio y horario.

Existen dos subetapas en la etapa anal:

- La etapa expulsiva, donde el placer se consigue expulsando las heces.
- La etapa anal retentiva, donde el placer se consigue reteniendo las heces, ya que éstas estimulan las zonas erógenas dominantes en esta etapa.

Según la teoría de Freud, la incapacidad de resolver los conflictos que se presentan durante esta etapa pueden causar una fijación retentiva anal o expulsivo anal. El concepto de fijación ocurre cuando hay un exceso de gratificación, lo que desarrolla una personalidad en extremo desorganizada, o, por el contrario, cuando la gratificación no ocurre, dando origen a un individuo sumamente organizado.

Para que el niño pueda superar la etapa anal hay que cambiarle el placer que siente en retener las heces por un placer más grande, que es el reconocimiento. Así, querrá ser generoso y dar para recibir la recompensa, que es el reconocimiento, aprendiendo de esa manera a ser generoso y a tener más placer en dar que en retener.

Si el niño recibe alabanzas, refuerzos e incluso recompensas por el hecho de controlar su esfínter, será más fuerte que la satisfacción que recibe al ser higienizado por su madre o por el hecho de retener, y le llevará a superar la etapa.

La motivación para ser mayor, para la autonomía, deberá aparecer en esta etapa para que el niño desee hacer las cosas por sí mismo, por limpiarse solo y por ser autónomo para ir al baño solo sin necesitar de un adulto que le limpie. Debemos fomentar que el niño tenga el deseo de ser mayor para que quiera y pueda dar este paso.

En niños que no se les estimula en ese sentido, sino que se refuerza la dependencia del adulto, el tema de la retirada del pañal no tendrá motivación alguna, lo que llevará consigo un fracaso en el intento de abandonar el pañal o muchas complicaciones en el proceso.

2

¿Por qué los padres viven el control de esfínteres de diferente forma a otros aprendizajes?

La importancia de la actitud
Adiós a los ruedines
Adiós al pañal

La importancia de la actitud

La actitud de los padres en todo proceso de aprendizaje es fundamental. A la mayoría de los padres no se les ocurre poner a gatear a un niño de 4 meses, no se suelen sentir mal porque su hijo empiece a andar a los 14 meses en lugar de a los 12 y no están agobiados con que el niño no lo vaya a conseguir. Suena raro escuchar a unos padres diciendo a un niño que comienza a dar sus primeros pasos: *¡mira fulanito que bien anda y tú todavía tan torpe!*

Entonces, ¿por qué con el pañal es diferente? Los padres intentan **quitar el pañal antes de tiempo y de golpe,** se preocupan y angustian pensando que este proceso les va a costar mucho, se comparan y se frustran al ver que el niño tiene retrocesos o le cuesta controlar, o piensan que todavía es muy pronto, que el niño es muy pequeño y ya aprenderá solo, alargándose el proceso de manera innecesaria.

Actualmente se **retrasa el momento de quitar los pañales** porque los que tenemos ahora son muy cómodos y fáciles de usar y hacen que el niño se mantenga seco durante mucho tiempo. Se evitan así las quejas por llevarlos, ya que no experimentan la sensación de sentirse mojados y a los padres les resulta más costoso quitar el pañal que mantenerlo.

Antiguamente, los cambios eran mucho más frecuentes si se pretendía que el niño estuviese seco y los pañales había que limpiarlos a mano, ya que no eran desechables, con el engorro que esto suponía para los padres. Esta situación favorecía que el aprendizaje se realizase a edades más tempranas y era habitual ver a niños que con 2 años, e incluso menos, ya no usaban pañales.

Hay padres que toman este proceso como un **medidor de su capacidad parental,** sintiendo que no lo están haciendo bien si el niño no aprende en un tiempo determinado. Estos padres se suelen presionar y, sin darse cuenta, presionan también al niño para que aprenda lo antes posible, lo que, inequívocamente, llevará a que el menor tenga ansiedad ante el proceso y, en muchas ocasiones, dará lugar a complicaciones.

Otros padres no tienen información al respecto y no saben cómo ayudar a sus hijos. Se guían por lo que hicieron sus madres o amigos y por conductas de ensayo y error, sin saber bien qué es lo que funciona y qué deben esperar en cada momento del proceso. Son padres que quitan el pañal sin haber sentado nunca al niño en el retrete, que se lo vuelven a poner si se hace pis encima, que regañan si se produce escapes..., y todo ello por **desconocimiento.**

Influye también que los padres piensen que hay **una intención en la conducta** del niño y que si no controla, es porque no quiere. Muchos piensan que el niño tiene que aprender en un tiempo, independientemente de que se le entrene o no, y que si no lo consigue es porque el niño les «toma el pelo».

El control de esfínteres es un proceso que lleva su tiempo, es una conducta que hay que aprender y, como cualquier aprendizaje de nuestros hijos, necesita de cuatro aspectos imprescindibles:

- Maduración psicobiológica del niño.
- Predisposición psicológica o motivación para aprender.
- Aprendizaje que vendrá dado por un guía adulto que enseña el método a seguir o sirve de modelo.
- Actitud de los padres ante el esfuerzo, los logros y los retrocesos.

La actitud de los padres es, por tanto, tan importante como los otros tres puntos anteriores.

Algunas cuestiones importantes

- Hay que llamar a la caca y al pis por su nombre.
- No se debe mostrar asco ni rechazo ante las deposiciones, que el niño no sienta que es nada malo ni nada que esconder.
- No hay que llamar al niño guarro ni regañarle cuando se haga caca en el pañal o encima; si se hace, pensará que es algo malo, retendrá y se volverá estreñido o se esconderá para hacerlo.
- No se debe llamar caca a todo lo inadecuado, pues aprenderá que su caca es algo malo.
- No hay que obsesionarse con la retirada del pañal ni tampoco «dormirse en los laureles». No es bueno comenzar antes de tiempo ni después del momento adecuado.
- No hay que tomarse el aprendizaje de nuestro hijo como un medidor de nuestra capacidad como padre o madre. Que el niño se haga pis encima o que tarde más tiempo en aprender no quiere decir que se esté haciendo algo mal como padre o madre, simplemente puede necesitar más tiempo o costarle más esfuerzo.
- No se debe pensar que el niño se hace pis o caca a propósito o con la intención de fastidiar. Si el niño todavía no controla, tiene que ver con el proceso de aprendizaje y no con una intención consciente por su parte.

Para señalar la importancia de las cuestiones de actitud, a continuación vamos a valorar dos situaciones que se pueden producir en el desarrollo de los niños y que los padres suelen afrontar de manera muy diferente.

Adiós a los ruedines

Jaime cumplía 4 años y siempre le había gustado montar en su bici roja. Al día siguiente de su cumple su madre le dijo que tenía que decir adiós a los ruedines; era verano, y el verano es la mejor época para aprender. Ya era mayor y su vecino de arriba a los 4 ya sabía. Su madre se había informado bien, y a su edad los niños ya deben saber montar sin ruedines: Jaime tendría que estar preparado.

Cogieron la bici y fueron al parque de al lado de casa. Todavía se sentía algo inseguro con ruedines, no sabía hacer bien los giros, cuando bajaba rampas se le movía mucho el volante y no frenaba con facilidad. A menudo tenía que recurrir a los frenos de pie: tranquilo Jaime, repetía su madre, ya verás como lo consigues. Además, si lo consigues, te daré una chuche de premio.

Jaime se cayó varias veces esa tarde y muchas más las tardes siguientes. Su madre le gritaba: ¿es que no vas a aprender nunca a montar en bici como los mayores? ¡Eres un pequeñajo, sólo los pequeñajos van con ruedines! ¡Buf, qué torpe! ¡Otra vez te has caído! ¡Parece que no aprendes! Mira tu primo Carlos, que no se cae nunca..., y ahora te tendré que limpiar las heridas, qué rollo... ¿No puedes mirar por dónde vas, o frenar a tiempo? ¡Es que parece que lo haces a propósito! Que sepas que estás castigado sin dibujos...

Por más que Jaime lo intentaba, siempre terminaba en el suelo. Se sentía mal porque hacía todo lo que podía y, sin embargo, se seguía cayendo. Además, su madre se ponía muy furiosa y eso le entristecía.

Al cabo de un tiempo, la madre decidió que, como Jaime se caía, le iba a colocar los ruedines cada vez que pasase por algún sitio complicado: Jaime pensó que nunca aprendería a montar en bici, que no lo conseguiría...

Cuando le volvieron a poner los ruedines fue un desastre, ya no sabía cuándo tenía que guardar el equilibrio y cuándo no. A veces se le olvidaba que no tenía los ruedines puestos y la torta era monumental... A lo mejor es que la bici sin ruedines no es para mi, pensó.

¡Qué exagerada y extraña resulta esta historia!

Repasemos la actitud de la madre

- Le quita los ruedines basándose únicamente en la edad del niño y en la época del año.
- La información sobre cuándo está preparado para montar en bici es únicamente por la comparación con otro niño.
- Le ofrece un premio si consigue montar a la primera, como si dependiese únicamente de la voluntad del niño.
- Ridiculiza al niño al caerse mientras está aprendiendo.
- Se queja de las consecuencias que para ella tiene que el hijo no aprenda a la primera. Le presiona para que aprenda rápido.
- Le compara con otro niño que ya ha conseguido el objetivo mostrándole que él todavía no, en lugar de minimizar sus fallos y animarle.
- Le dice que falla a propósito, dándole toda la responsabilidad en el proceso.
- Le castiga por caerse, por cometer errores en el proceso de aprendizaje.
- Se enfada con él, se entristece porque lo siente como un fracaso.
- Le vuelve a colocar los ruedines, como «tirando la toalla», mostrándole que no confía en él.

Si cambiamos la palabra ruedines por pañal, todo esto no resulta tan inusual.

Adiós al pañal

Jaime cumplía 2 años y le gustaba mucho su orinal rojo. Al día siguiente de su cumple, su madre le dijo que tenía que decir adiós al pañal; era verano, y el verano es la mejor época para aprender. Ya era mayor y su vecino de arriba a los 2 ya sabía controlar. Su madre se había informado bien, y a su edad los niños ya deben saber hacer pis en el orinal: Jaime tendría que estar preparado.

Su madre le quitó el pañal y se fueron al parque. Todavía se sentía algo inseguro sin pañal, no sabía bien cuándo tenía ganas y cuándo no, dónde se lo tenía que hacer, se le olvidaba pedirlo... Tranquilo Jaime, repetía su madre, ya verás como lo consigues. Además, si lo consigues, te daré una chuche de premio.

Jaime se hizo pis varias veces esa tarde y muchas más las tardes siguientes. Su madre le gritaba: ¿es que no vas a aprender nunca a hacer pis en el orinal como los mayores? ¡Eres un pequeñajo, sólo los pequeñajos se hacen pis encima! ¡Buf, qué cochino! ¡Otra vez te has hecho caca! ¡Parece que no aprendes! Mira tu primo Carlos, que no se lo hace nunca encima..., y ahora te tendré que limpiar, qué asco... ¿Es que no puedes avisar?, ¡si te acabo de decir que si tenías ganas! ¡Parece que lo haces a propósito! Que sepas que estás castigado sin dibujos...

Por más que Jaime lo intentase, el pis se le escapaba. Se sentía mal porque hacía todo lo que podía y, sin embargo, se lo seguía haciendo encima. Además, su madre se ponía muy furiosa y eso le entristecía.

Al cabo de un tiempo, la madre decidió que, como Jaime se lo hacía encima, le iba a colocar el pañal cada vez que hubiese una situación complicada: Jamie pensó que nunca aprendería a retener, que no lo conseguiría... Cuando le volvieron a poner el pañal fue un desastre, ya no sabía cuándo se lo tenía que hacer encima y cuándo no. A veces se le olvidaba que no tenía el pañal puesto y se hacía caca... A lo mejor es que esto no es para mí y siempre debería llevar pañal, pensó.

> Todo aprendizaje necesita su tiempo y su dedicación. Con cariño y práctica todo se consigue.

Al cambiar la palabra ruedines por pañal ya no nos parece algo tan disparatado. Muchas veces se oye a padres e incluso a educadoras diciendo esta clase de cosas a los niños.

RECUERDA

1. No podemos basarnos en qué época del año es más adecuada para decidir quitar el pañal a nuestros hijos.
2. La información que manejemos del tema deberá ser extensa y no sólo basada en lo que dicen por ahí.
3. No porque forcemos, ridiculicemos, regañemos, amenacemos o castiguemos a nuestros hijos van a aprender antes a controlar, sino todo lo contrario.

RECUERDA

4. Hay que enseñarles, elogiarles, reforzarles y premiarles por el esfuerzo y los pequeños logros como lo haríamos con cualquier otro aprendizaje: montar en bici, gatear, andar o leer.
5. No debemos castigar un escape cuando el niño está aprendiendo, puesto que es parte del proceso.
6. Debemos confiar en nuestro hijo y en sus capacidades y darle tiempo y herramientas para lograr cada objetivo que se plantee.

RESUMEN

1. La actitud de los padres es fundamental en el proceso de abandonar el pañal.
2. Hay padres que la información que tienen del tema es muy escasa y se basan en un aprendizaje de ensayo y error.
3. Hay padres que se angustian y quitan el pañal antes de tiempo y de golpe.
4. Otros «se duermen en los laureles» porque para ellos es más cómodo que el niño use pañal.
5. Algunos creen que si el niño consigue (o no) llevar pañal es medidor de su capacidad parental: produciendo ansiedad al niño para que lo consiga.
6. Muchos creen que el hecho de que el niño tenga escapes en el proceso de aprendizaje es intencionado.
7. El control de esfínteres necesita de cuatro aspectos imprescindibles:

   • Maduración psicobiológica del niño.
   • Predisposición psicológica o motivación para aprender.
   • Aprendizaje, que vendrá dado por un guía adulto que enseña el método a seguir o sirve de modelo.
   • Actitud de los padres ante el esfuerzo, los logros y los retrocesos.

8. No se debe forzar, ridiculizar, regañar, amenazar ni castigar mientras el niño está aprendiendo.
9. Al contrario de esto, se le debe enseñar, elogiar, reforzar y premiar el esfuerzo y los pequeños logros, como lo haríamos con cualquier otro aprendizaje.
10. Debemos confiar en nuestro hijo y en sus capacidades, y darle tiempo y herramientas para lograr cada objetivo que se plantee.

¿Cuándo es mejor quitar el pañal?

Es mejor quitárselo en verano. FALSO

No le veo maduro, no está preparado. FALSO

    Caso: Íñigo

    Caso: Pepe

Hay que quitar el pañal a los dos años
    y medio. FALSO

Mejor quitárselo de golpe. FALSO

    Caso: Aitana

Yo no tengo que hacer nada. Ya se lo quitarán en la
    escuela. FALSO

Si se hace pis encima, mejor le vuelvo a poner el
    pañal. FALSO

Si tiene escapes, es a propósito. FALSO

    Caso: Jorge

Si le premio o le castigo, lo conseguirá antes. FALSO

Si no le regaño, no aprenderá. FALSO

Si no me lo pide o no hace,
    es que no tiene ganas. FALSO

    Caso: Mencía

Si tiene ganas, me avisará. FALSO

Todos los niños aprenden más tarde
    que las niñas. FALSO

Él solo dejará el pañal. FALSO

    Caso: Jimena

En la historia de Jaime con el pañal aparecen varios de los **mitos** más extendidos en la sociedad española actual con respecto al proceso de aprendizaje del control de esfínteres, mitos que están comúnmente aceptados y que guían a los padres, y en ocasiones a los educadores, a la hora de ayudar a los niños en dicho proceso. ¡Vamos a desmontarlos!

Es mejor quitárselo en verano. FALSO

Mucha gente cree que el verano es la mejor época para quitar el pañal a su hijo. Abandonar el pañal tiene que ver con la maduración neurológica de cada niño y con el aprendizaje de una conducta: hacer en el baño; no de una época del año.

Cada niño lleva su ritmo. El verano puede ser tarde para un niño que cumple los 2 años en noviembre y pronto para uno que los cumpla en julio.

A diferencia de lo que la gente cree, la única ventaja que ofrece el verano es que si el niño se hace pis encima, es más fácil higienizarle: lleva menos ropa y se le puede cambiar en cualquier parte, ya que no hace frío. Sin embargo, el verano es una época en la que estamos mucho fuera de casa y tener un baño cerca se hace tarea difícil.

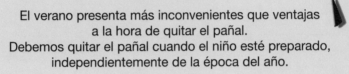

IMPORTANTE

El verano presenta más inconvenientes que ventajas
a la hora de quitar el pañal.
Debemos quitar el pañal cuando el niño esté preparado,
independientemente de la época del año.

Si, además, es tiempo de piscinas, no sabremos cuándo el niño hace y cuándo no; se lo hará encima, que para él será lo mismo que cuando se lo hacía en el pañal (aunque ahora no lo lleve), y no aprenderá la conducta de retener y tenerlo que hacer después en el baño.

Otro inconveniente es que en septiembre los niños suelen empezar el colegio, y aquí no hay tanta ayuda extra para que vayan al baño, como en las escuelas infantiles. Por esto, deberían haber aprendido mucho antes a ser muy autónomos al llegar al cole.

Si el niño no lleva tiempo sin pañal antes de comenzar su andadura en el colegio, lo más probable es que lo pase mal y haya muchos días en los que se lo haga encima.

La adaptación también influye para que niños que no tenían demasiado adquirido el control de esfínteres vuelvan atrás y comiencen de nuevo a no controlar.

Siempre que sea posible, lo más aconsejable es que el niño lleve un par de meses controlando esfínteres antes de empezar el colegio.

El invierno tiene el inconveniente de que si el niño tiene un escape, será más complicado cambiarle, pero, en contraposición, en invierno estamos mucho más tiempo en casa con un baño cerca y los padres suelen por ello ser más constantes y regulares a la hora de llevar a sus hijos al baño.

RECUERDA
1. Debemos quitar el pañal cuando el niño esté preparado, independientemente de la época del año.
2. La única ventaja que ofrece el verano es que si el niño se hace pis encima, es más fácil higienizarle.
3. El verano es una época en la que estamos mucho fuera de casa, y tener un baño cerca se hace tarea difícil.
4. Si es tiempo de piscinas, no sabremos cuándo el niño hace y cuándo no.
5. La adaptación al colegio provoca que niños que no tenían demasiado adquirido el control de esfínteres vuelvan atrás y comiencen de nuevo a no controlar.
6. El niño debería llevar un par de meses controlando esfínteres antes de empezar el colegio, para evitar retrocesos.

No le veo maduro, no está preparado. FALSO

Mucha gente dice esto de no le veo maduro todavía para quitarle el pañal, confundiendo desarrollo cognitivo o maduración psicomotora con el desarrollo neurobiológico necesario para controlar los esfínteres. Una cosa es que el niño esté preparado para controlar esfínteres y otra muy distinta que sea un niño ágil o un niño con un desarrollo cognitivo determinado.

Por otro lado, según mi experiencia, la conducta de controlar esfínteres necesita de una maduración neuropsicobiológica sin la cual el aprendizaje no se puede dar, pero si ésta existe, es una conducta que se aprende como muchas otras, y depende de los principios del aprendizaje humano.

Es decir, un niño que no esté preparado neurobiológicamente no puede aprender a controlar esfínteres por mucho que se le enseñe.

Es por esto que no se enseña a un niño menor de 18 meses a hacer pis en otro sitio que no sea el pañal, porque es presumible que no será capaz de retener ni de hacer de una manera consciente, sino que la micción es algo automático para él.

Si el niño es mayor de 18 meses, podemos intuir que existe la maduración psicobiológica necesaria para retener y aprender la conducta de hacer pis y caca en otro sitio distinto del pañal.

Normalmente coincide con que ya es capaz de caminar solo sin dificultad.

Muchas veces nos va dando **pistas** de que esa maduración psicobiológica existe: informa de que está orinando o haciendo caca en el momento que lo hace (por tanto, tiene conciencia de lo que está pasando), no moja los pañales en varias horas (muestra de que retiene algo) o se da cuenta de que tiene ganas de hacer y se esconde o se va a un sitio determinado (con lo que anticipa antes de hacer pis: tiene conciencia y controla algo).

Aun así, hay veces que el niño no da ninguna de estas pistas y, sin embargo, está preparado para comenzar el proceso.

Si un niño tiene más de 18 meses y camina solo, debemos presuponer que está preparado y podemos comenzar el proceso de aprendizaje. Dependiendo del estado de maduración del niño y de cómo realicemos el proceso, tardará más o menos en aprender, pero tarde o temprano lo hará.

Si no le enseñamos que hay otro sitio donde puede hacer pis y caca, el niño se lo seguirá haciendo encima, por mucho que esté preparado para hacerlo en otro sitio. Cuanto antes empecemos a enseñarle que existe otro sitio para hacer pis y caca, antes se condicionará para hacerlo donde debe y abandonar el pañal.

Esto lo demuestra mi experiencia en las distintas escuelas infantiles en las que trabajo. En aquellas en las que creen que se debe quitar el pañal pronto y comienzan a sentar a los niños en sus orinales antes de los 2 años es común, siempre y cuando en casa también se afiance el aprendizaje, que los niños dejen el pañal más pronto y sin complicaciones.

Sin embargo, en las escuelas en las que empiezan a enseñar a los niños tarde comienzan a quitar pañales poco antes de que entren al colegio, siendo muchos los que sufren retrocesos por la adaptación.

Cuanto antes enseñemos a un niño a hacer pis y caca en el baño, antes abandonará el pañal. Lo cierto es que un niño al que hemos empezado a sentar a los 18 meses será alrededor de cuatro meses después cuando abandone el pañal, porque a esta edad el proceso es más lento. Sin embargo, si empezamos a los dos años y medio, es muy posible que en dos meses el niño haya aprendido y podamos retirarle el pañal, ya que la capacidad de aprendizaje y la maduración neurobiológica son mayores a esta edad, así como el desarrollo cognitivo para entender el proceso.

IMPORTANTE

1. No confundir desarrollo cognitivo o maduración psicomotora con el desarrollo neurobiológico necesario para controlar los esfínteres.
2. Un niño que no esté preparado neurobiológicamente no puede aprender a controlar esfínteres por mucho que se le enseñe.
3. Si el niño es mayor de 18 meses, podemos presuponer que existe la maduración psicobiológica necesaria para retener y aprender a relajar de forma consciente y controlada.
4. Por mucho que el niño esté preparado, si no le enseñamos que hay otro sitio donde puede hacer pis y caca, se lo seguirá haciendo encima.

Cuanto antes enseñemos a un niño a hacer pis y caca en el cuarto de baño antes abandonará el pañal.

Caso: Íñigo

Íñigo era un niño de 17 meses y el segundo de una familia. Era un bebote grande que todavía casi ni hablaba. Con su hermano ma-

yor ya habían aplicado el Programa en 5 pasos para quitar el pañal con éxito, por lo que la madre era toda una experta. A los 16 meses, la madre de Íñigo notó que el niño se interesaba por el retrete, sentía curiosidad y pedía hacer pis igual que el hermano. Empezó a sentarle accediendo a las peticiones del niño y sin ninguna intención al respecto. Al poco tiempo, comprobó que Íñigo hacía pis cada vez que se le sentaba y su pañal permanecía seco casi siempre. Comenzó a sentarle más a menudo y creó la rutina de ir al baño todos los días. Antes de cumplir los 18 meses, Íñigo estaba sin pañal, sin un solo escape y sin ningún problema. Todavía no lo pedía porque su vocabulario era muy escaso. Al mes, Íñigo ya no llevaba pañal ni en la siesta ni por la noche. El período de aprendizaje fue rapidísimo, y sin embargo el niño no sabía casi hablar y psicomotrizmente no era demasiado ágil. Íñigo es una excepción por lo prematuro, pero nos ayuda a entender que cada niño está preparado en un momento determinado según su maduración psicobiológica. Aprender a controlar esfínteres no va necesariamente unido a aprendizajes en otras áreas. Muchas veces son los padres quienes ven al niño incapaz de conseguir algo, aunque no tengan datos para afirmarlo.

Caso: Pepe

Pepe era un niño de dos años y tres meses con un retraso madurativo de al menos seis meses. Su vocabulario era muy escaso y su pronunciación ininteligible. Cognitivamente, Pepe no tenía ningún retraso, pero psicomotrizmente era muy torpe, le costaba mucho correr, no podía subir ni bajar escaleras, no podía hacer ni el intento de saltar y sus movimientos eran lentos y muy retrasados para su edad. Aun así, a Pepe se le sentaba en el orinal creando una rutina como a todos los niños de su clase. Su madre se agobiaba y nos pedía que retrasásemos el momento de enseñarle a hacer pis en el orinal puesto que había oído que si los niños no sabían saltar con los pies juntos es que no tenían el desarrollo madurativo necesario para controlar *esfínteres. Al poco tiempo, Pepe aprendió a controlar, se le quitó el pañal y no tuvo ni un solo escape, y siempre que se le sentaba lo hacía en el orinal.*

Hay que quitar el pañal a los dos años y medio. FALSO

Aproximadamente a los 2 años, debemos suponer que un niño está preparado para abandonar el pañal, por eso le vamos a entrenar en nuestro Programa en 5 pasos. Pero el momento de quitar el pañal lo tiene que decidir el adulto (padre/educador) según la evolución de su hijo/alumno, no porque haya cumplido una determinada edad.

IMPORTANTE

- Cada niño tiene un desarrollo evolutivo que hay que respetar.
- Cada niño se tiene que tratar como un caso único.

Sabemos que la maduración psicobiológica no es igual para todos los niños, existiendo en algunos casos una variabilidad de algunos meses entre unos y otros. Por ello es importante no hacer comparaciones y no quitar el pañal únicamente porque otros niños de la misma edad ya estén sin él.

Mejor quitárselo de golpe. FALSO

Para poder quitar el pañal es mejor que el niño primero establezca una rutina de sentarse a hacer pis en el baño para que aprenda dónde tiene que hacer sus necesidades. Si desde que nació el niño está habituado a hacerse sus necesidades encima, es difícil que de repente y sin ningún entrenamiento pretendamos que las haga en otro sitio y no se equivoque o no tenga complicaciones para ello.

El niño se hace pis encima de manera inconsciente y automática y lo que queremos al empezar el proceso de control de esfínteres es que haga sus necesidades de forma consciente, controlada y en un sitio diferente del habitual.

Al ponerle a hacer pis en el retrete, al empezar a interesarnos por el tema, etc., estamos provocado que empiece a hacer consciente una conducta que para él es refleja. El hacer consciente se muestra en los niños que empiezan a avisar cuando tienen ya la caca encima, que se van a un rincón a hacerla o que avisan en el momento que están haciéndola.

El paso de ser una conducta refleja a una controlada requiere practicar la relajación del esfínter cuando uno desea y retener y cerrarlo cuando interese. El niño tiene que entender que su esfínter es algo que él puede cerrar y abrir a su antojo (como un grifo), y para lograrlo necesita práctica.

Algunos niños retienen y cierran su esfínter sin problema, aguantando el pis mucho tiempo, y sin embargo les cuesta luego relajarlo para hacer en el retrete (están mucho tiempo secos y acaban no sabiendo dónde hacer). Otros, sin embargo, relajan el esfínter a su antojo y tienen más dificultades en retener el pis o la caca (se lo hacen encima a menudo).

Hacer nuestras necesidades de forma consciente y controlada es una conducta que se condiciona a estímulos mediante rutinas. Esto es fácil de entender si pensamos qué le pasa a mucha gente cuando se va de viaje y no tiene su baño cerca, sus ritmos biológicos se alteran y muchas veces se produce estreñimiento. Esto es debido a que los estímulos que condicionan la conducta de ir al baño han cambiado (el baño no es el mismo).

Un ejemplo extremo de esto es que de un día para otro nos dijesen que tenemos que hacer en un agujero, o en mitad del campo. A mucha gente esta situación le produciría un estreñimiento en principio, para luego terminar haciendo por no aguantar más. Repetir la operación en el sitio diferente varias veces hace que los nuevos estímulos se condicionen y la conducta de hacer en un agujero o en el campo se normalice.

Esto mismo les ocurre a los niños que se les retira el pañal de golpe, sin un condicionamiento y un aprendizaje previos: como no saben dónde lo tienen que hacer o no están habituados a hacerlo en un sitio diferente al pañal, no consiguen relajar el esfínter cuando se sientan en el retrete o en el orinal. Al final se aguantan, retienen el pis y las heces durante tiempo y acaban haciéndoselo encima a destiempo, porque no resisten más. Estos niños también terminan aprendiendo, pero es más probable que se hagan más veces encima o que tengan mayores problemas por el camino.

IMPORTANTE

El niño se hace pis encima de manera inconsciente y automática, y lo que queremos al empezar el proceso de control de esfínteres es que haga sus necesidades de forma consciente, controlada y en un sitio diferente del habitual, el cuarto de baño.

Antes de retirar el pañal es importante que el niño haya condicionado su conducta de hacer sus necesidades en un sitio diferente al pañal, bien en el orinal o bien en el retrete, y que haya podido hacerlo varias veces en este sitio de manera voluntaria y no automática.

Cuando se retira un pañal de golpe sin aprendizaje previo, en muchas ocasiones lo que ocurre es que el niño no es capaz de controlar voluntariamente la relajación del esfínter para que se produzca la micción o evacuación de heces. Como consecuencia de ello retendrá la orina y/o las heces hasta que pueda.

En el caso de las heces el riesgo es el estreñimiento.

Antes de retirar el pañal es importante que **el niño aprenda y condicione su conducta de hacer pis o caca a otro sitio** y otros estímulos distintos de lo que ha estado acostumbrado desde su nacimiento, para que, cuando se le siente, pueda relajar su esfínter y producirse la micción.

Caso: Aitana

Aitana era una niña de dos años y medio, muy grande para su edad y bastante desarrollada cognitivamente. Su madre no se había preocupado de sentarle a hacer pis porque pensaba que ya tendría tiempo de aprender y, además, le enseñarían en el cole.

Aitana se pasó todo el curso sentándose una vez en el orinal por la mañana, ya que se iba a comer a casa y no daba tiempo de sentarle más veces.

Vivía en una casa con jardín y piscina, así que, cuando llegó la época de piscina, Aitana iba todas las tardes con su madre.

Durante ese tiempo la madre pensó que sería buena idea dejarle sin pañal mientras estaban en la piscina. Como se pasaban muchas horas allí, Aitana, a veces, lo hacía dentro del agua, y otras fuera, pero la madre le decía que no pasaba nada porque iba en bañador, que se lo podía hacer encima sin problema.

En septiembre Aitana tenía que ir al cole de mayores y la madre decidió que era hora de quitarle el pañal. Nunca había hecho pis en el orinal ni en el retrete, así que cuando le quitaron el pañal se pasaba la mañana entera en el cole aguantando (hasta cinco horas). Por más que la sentaban, no era capaz de hacer pis en el retrete ni una sola vez. Muchas veces no aguantaba más y se lo hacía encima. Estuvo así tres semanas en las que se sentaba varias veces en el retrete sin que saliese nada y después de retener toda la mañana ya no aguantaba más y se lo hacía encima.

Por las tardes era distinto: como sabía que no pasaba nada, porque su madre así se lo había transmitido antes de retirar el pa-

ñal, Aitana se lo hacía por todos los rincones de la casa. La madre llegó a verbalizar que parecía un perrillo, ya que se lo hacía todo encima, y, claro, la desesperación era máxima.

Hubo que esperar mucho tiempo hasta que Aitana fue capaz de relajar su esfínter y hacer pis en el retrete cuando se sentaba. El día que consiguió hacerlo por primera vez, parece que le sirvió para saber que allí podía, que ése era el sitio adecuado, y así relajar su esfínter sin problemas. Empezó a hacer más veces y los escapes fueron menores.

Lo que pasaba en este caso es que la niña no sabía dónde tenía que hacer y entendía que en el cole no se lo podía hacer encima. Retenía todo lo que podía y muchas veces conseguía terminar seca la mañana.

En casa, como le había enseñado su madre, sabía que no pasaba nada por hacérselo encima, y eso era lo que hacía. Para ella el baño no era un estímulo para hacer pis porque no lo había condicionado, y aunque tenía capacidad para retener, no era así para relajar y hacer pis en el cuarto de baño.

Una vez que le explicamos que esto llevaría un tiempo, la actitud de la madre fue decisiva. Sin tirar la toalla, fue constante a la hora de sentar a Aitana en el retrete. Aunque tenía dudas sobre si la niña lo conseguiría finalmente, no cambió su manera de actuar aplicando el Programa de 5 pasos desde el principio, sin volver a colocar el pañal a Aitana, aunque eso resultase en muchas ocasiones muy engorroso. Además, no transmitió a la niña sus dudas ni preocupación al respecto, con lo que la niña estuvo tranquila y confiada, lo cual supuso que en dos semanas controlaba perfectamente y no tuvo ni un escape.

RECUERDA

1. El niño tiene que entender que su esfínter es algo que él puede cerrar y abrir a su antojo (como un grifo), y para lograrlo necesita práctica.
2. Algunos niños aguantan el pis mucho tiempo y, sin embargo, les cuesta luego relajarlo para hacer en el retrete (están mucho tiempo secos y acaban no sabiendo dónde hacer). Otros tienen más dificultades en retener el pis o la caca y se lo hacen encima a menudo.

3. Hacer nuestras necesidades de forma consciente y controlada es una conducta que se condiciona a estímulos mediante rutinas.

4. Si se retira el pañal de golpe sin aprendizaje previo: como el niño no sabe dónde lo tiene que hacer o no está habituado al retrete, no podrá hacer en él aunque quiera. Al final se aguantará y acabará haciéndoselo encima a destiempo. Esta clase de niños terminan aprendiendo, pero con mayores problemas por el camino.

5. Antes de retirar el pañal es importante que el niño aprenda y condicione su conducta de hacer pis o caca en otro sitio: el retrete.

Yo no tengo que hacer nada. Ya se lo quitarán en la escuela. FALSO

Muchos padres no se preocupan o no se interesan por el control de esfínteres porque es algo que se tiene que ocupar la escuela infantil.

Piensan que ellos no tienen que hacer nada en casa porque ya «les sientan» en la guardería.

El control de esfínteres, si sólo se trabaja en la guardería, se alargará mucho en el tiempo. Si ayudamos en casa al salir de la escuela y los fines de semana, el aprendizaje será mucho más rápido.

Además, puede ocurrir, y de hecho es muy frecuente, que niños que sólo les sientan en el orinal en la escuela, luego, en casa, no condicionen o no generalicen la conducta de ir al baño. Son niños a los que no se les puede quitar el pañal, aunque en la escuela siempre hagan pis en el orinal, porque en casa nunca lo han hecho. Lo más probable es que cuando se lo quiten no sepa hacerlo en el orinal, ya que ni él ni sus padres tienen establecida la rutina de ir al baño, y se lo hará mil veces encima.

La escuela infantil es un medio facilitador del control de esfínteres, pero nunca debe ser el único.

En la escuela es más fácil conseguir que se siente en el orinal porque el niño sabe que no le queda otra opción que hacerlo cuando la profesora lo dice. Le cuesta menos, al igual que con otras conductas (como comer o dormir), acatar las normas que se le imponen porque sabe que no hay alternativas, que la profesora no va a atender sus quejas y llantos y, además, porque la imitación de los iguales ayuda al aprendizaje.

Por todo esto, ESCUELA Y PADRES DEBEN TRABAJAR EN UN MISMO SENTIDO, AL MISMO TIEMPO Y DE LA MISMA FORMA PARA QUE EL CONTROL DE ESFÍNTERES SE LLEVE A CABO SIN PROBLEMAS.

Si se hace pis encima, mejor le vuelvo a poner el pañal. FALSO

Una vez que se decide quitar un pañal nunca debe volverse a colocar. Cuando al niño le retiran el pañal es normal que tenga escapes, necesita tiempo para aprender que sólo puede hacer sus necesidades en el retrete y no encima.

> **IMPORTANTE**
>
> Una vez quitado el pañal NUNCA hay que colocarlo de nuevo, bajo ninguna circunstancia: viaje, enfermedad, fiesta...

Es algo normal que durante la primera semana tras retirar el pañal el niño se moje entre tres y seis veces diarias; no hay que alarmarse por eso. Es importante que, aunque se vaya a hacer un viaje largo, aunque el niño esté con diarrea, aunque se tenga una celebración etc., no se le vuelva a colocar el pañal..., habrá que estar más pendiente y ponerle más veces a hacer pis o caca. Si le volvemos a colocar el pañal, aunque sea por un rato, le confundimos: el niño no se acordará si lo lleva puesto o no y no sabrá dónde lo tiene que hacer, y esto será un retroceso en su aprendizaje.

Al volverle a poner el pañal lo que le trasmitimos es que no confiamos en que lo vaya a conseguir, y, por tanto, se sentirá inseguro y le costará más. Pensad en el ejemplo de montar en bici: si cada vez que vaya por un sitio un poco peligroso le ponemos los ruedines y luego se los quitamos, no sabrá cuándo los lleva, le causará inseguridad y probablemente terminará en el suelo a la primera de cambio.

Otra cosa distinta es que no le hayamos enseñado a usar el retrete porque no le hayamos sentado ni una vez, le quitemos el pañal de golpe y veamos que se lo hace encima todo el rato y decidamos que nos hemos equivocado y que vamos a aplicar el programa desde el principio antes de quitarle el pañal. En este caso, y sólo en este caso, se lo pondremos otra vez y empezaremos el Programa en 5 pasos desde el paso 1.

Si tiene escapes, es a propósito. FALSO

Cuántas veces habéis escuchado en madres/padres esto de: «no, si es muy listo, se lo hace porque le da la gana, es que le acabo de preguntar si quiere hacer pis y se lo hace al momento encima, sabe perfectamente y no lo pide porque no quiere».

En el proceso de aprendizaje el niño no controla cuándo relajar su esfínter y cuándo retener. Es como un grifo que estuviera roto y no siempre cerrara con precisión y a veces saliera el agua a chorro gordo... **El niño está aprendiendo y por eso todavía no controla del todo.** A veces estará sentado en el retrete y aunque tenga ganas retendrá el pis, y luego, al momento, se lo hará encima. Muchas veces, y aunque tenga la vejiga llena, no pedirá hacer pis o no querrá sentarse, bien porque está entretenido, bien porque todavía confunde la sensación de vejiga llena. Todo esto es normal y no quiere decir ni que el niño no esté preparado, ni que no esté aprendiendo, ni que lo haga a propósito y para fastidiar.

Es distinto que, después de un tiempo en el que ya controle sin pañal, unos dos meses, empiece a no retener o a hacer este tipo de cosas. En este caso tendremos que ver por qué ocurre y qué hacemos para remediarlo.

Cuando el niño percibe que hay una conducta suya que nos preocupa o que es muy importante para nosotros y no le hacemos ver la importancia que tiene para él, es fácil que esa conducta se convierta en algo con lo que intentará ejercer el control cuando esté enfadado, disgustado con nosotros o cuando quiera conseguir algo.

Se establece entonces una relación entre el niño y la conducta en sí (controlar esfínteres, estudiar, comer...) que no es una relación de a dos (el niño con la comida, el niño con su micción...), sino de a tres, ya que el adulto está presente.

El niño ya no dejará de hacerse pis encima o de negarse a comer o de no estudiar porque es malo para él. Lo hará en función de lo que consiga en la relación con nosotros: evitar un castigo, conseguir que nos enfademos o lograr que le prestemos atención.

Si le hacemos entender que lo que hace lo debe hacer por él mismo, cuando el premio es conseguir un objetivo y el castigo no hacerlo, cuando entiende que nosotros sólo queremos ayudarle a conseguirlo..., **el niño acaba responsabilizándose de su conducta y haciendo las cosas por él mismo**, por beneficiarse de algo o para evitar algo que le perjudica.

El gesto de hacer pis «a propósito», es decir, para conseguir algo, normalmente es evidente, porque lo suele hacer de una manera distinta de lo habitual o en un momento en el que inmediatamente antes ha pasado algo que le molesta, le inquieta, le preocupa o le pone ansioso. Un ejemplo de esto sería el niño que se saca «la colita» para hacer pis en una alfombra o en una maceta o el que se hace pis encima justo en el momento en el que su madre coge en brazos al hermano pequeño.

Caso: Jorge

Jorge era un niño grande y maduro para su edad. Con 2 años iba a la guardería, en la que estaba totalmente integrado. Allí su profesora le empezó a sentar en el orinal pronto porque el niño y la madre tenían interés en ello. Al final del curso se iban a vivir a otro barrio y cambiaban de escuela y la madre creía necesario que ya fuera sin pañal.

Jorge, con 2 años, ya había hecho varias veces en el orinal y estaba habituado a sentarse. Llegó el momento de irse de la escuela y la madre decidió que Jorge estaba preparado para estar sin pañal, aunque en la escuela no compartiésemos esa opinión, ya que creíamos que le faltaba tiempo de entrenamiento.

Al quitarle el pañal antes de tiempo, el niño estuvo dos semanas haciéndose pis encima y en el orinal también. La madre se angustiaba mucho pensando que su hijo no lo conseguiría y le presionaba porque tenía prisa por solucionar el problema antes de cambiarse de casa. Veía los escapes de su hijo como una provocación hacia ella y le regañaba constantemente. Probablemente, con un poco más de tiempo de entrenamiento y mucha más paciencia, el problema se hubiese solucionado en una semana más sin necesidad de volver a colocar el pañal.

Sin embargo, y coincidiendo con la mudanza y con la adaptación a una nueva escuela, el niño comenzó a hacerse pis encima con mucha más frecuencia. La madre se quejaba de que en la nueva escuela no sentaban a su hijo siguiendo un horario y el niño venía a casa con una o dos mudas mojadas a diario. La madre se desesperaba porque su hijo no lo estaba consiguiendo y por tener que poner varias lava-

doras al día, así que decidió ponerle el pañal otra vez. Al cabo de varios meses, Jorge volvió al cursillo de verano en su antigua escuela. En una semana, el niño ya estaba otra vez sin pañal porque se le sentaba a sus horas y hacía pis y caca sin problema en el retrete. La madre no daba crédito y sentía el avance del niño en ocasiones como un fracaso suyo y en otras como «una tomadura de pelo».

Jorge comenzó el cole y volvió de nuevo a tener escapes continuos, ya que no seguían una rutina de horarios para sentarle y esperaban a que él lo pidiese. Además, en ese tiempo, la tensión en casa era máxima. La madre se mostraba insegura y poco confiada en que tanto ella como el niño lo estaban haciendo bien. Se desesperaba y generaba una ansiedad increíble en todos los miembros de la casa.

Al final, Jorge tardó más de un año en controlar adecuadamente su esfínter, con casi los tres años y medio: hasta que la madre se tranquilizó, vio como normales los escapes de su hijo, y no como algo intencionado; hasta que confió en que lo conseguiría y en lugar de preocuparse le dio las herramientas y la calma necesarias para el aprendizaje, el niño no lo logró.

Si le premio o le castigo, lo conseguirá antes. FALSO

Es habitual ver a padres que premian con algo material a sus hijos porque consigan hacer pis en el retrete y/o los castiguen si se hacen pis encima.

El niño tiene que aprender que el premio es no llevar pañal y poder hacer todo en el retrete: es más cómodo porque no lleva el pañal encima, porque la piel no irrita, porque es más rápido y porque con el tiempo podrá ir solo; también es más higiénico y, especialmente, es algo de mayores, y el **orgullo por conseguir el objetivo marcado y por lograr una capacidad propia de un niño con más edad. Es el mejor de los premios.**

El castigo es seguir llevando el pañal siendo mayor y los inconvenientes que esto conlleva: irritaciones, incomodidad, vergüenza... Es no conseguir algo que los demás de su edad ya tienen conseguido, es sentirse que no puede o que es peor por ello... ¡Ése es el peor de los castigos!

El niño tendrá que aprender que el hecho de que le ayudemos a crecer y a abandonar el pañal es algo bueno para él por lo que implica.

> **IMPORTANTE**
>
> Cuando el niño percibe que existe una conducta que nos preocupa o interesa, podrá intentar ejercer el control sobre nosotros por medio de la misma, por ejemplo, aumentando o disminuyendo su frecuencia (hacerse pis encima, estudiar, comer...).

Estará entonces motivado para lograrlo, sin necesidad de ningún premio a cambio. Se hará responsable de su conducta y de sus consecuencias por lo que para él implica, de la misma manera que tiene que entender que comer ciertas cosas o estudiar es bueno para él. Ésa es la mejor de las recompensas.

Si continuamente premiamos con una chuche u otra cosa material la conducta de ir al baño, el niño lo pedirá cada vez que vaya y pedirá más cada vez. El premio repetido ya no será suficiente, perderá importancia y no servirá como reforzador de la conducta deseada.

La alabanza es un buen reforzador en estos casos, bastará con que se le diga «¡muy bien, qué mayor!» si consigue hacer pis o caca en el retrete u orinal.

También podemos enumerar las ventajas de conseguirlo y valorar el esfuerzo realizado: ¡qué bien que ya no vas a tener el pañal mojado encima y vas a estar siempre seco!; ¡ya sé lo que te cuesta a veces estar sentado en el orinal, pero lo estás haciendo genial; si sigues así, podrás usar calzoncillos muy pronto!

Los calzoncillos o braguitas pueden servir de reforzador de la conducta, por eso tienen que usarse como un premio que conseguirá una vez que deje el pañal.

En cuanto al castigo, podemos decir que no porque al niño se le castigue conseguirá aprender más rápido. Resulta absurdo pensar esto en el caso de otros aprendizajes, como aprender a andar o aprender a montar en bici: NO POR CASTIGAR SE APRENDE MÁS RÁPIDO. Todo aprendizaje necesita de tiempo y práctica para que se consolide. Es necesaria una maduración neurobiológica y el establecimiento de unas rutinas que servirán de estímulos para que la micción se produzca donde y cuando queremos.

IMPORTANTE

El premio debe ser no llevar pañal, y el castigo llevarlo.
El orgullo de conseguir una capacidad propia de niño mayor es el mejor de los premios.
No por premiar o castigar la conducta el niño aprenderá antes.
No hay que regañar, ridiculizar y amenazar al niño porque se haga sus necesidades encima si está en el proceso de aprendizaje.
No porque regañes al niño va a aprender más rápido.

Con los premios y castigos el niño percibe que para el adulto la conducta es algo importante y, por tanto, susceptible de utilizarla para ejercer un control sobre él, y acaba haciendo pis o dejando de hacer en función de la reacción que pretende provocar en el adulto, por lo que el esfínter se convierte en arma. La atención del adulto es el objetivo principal del niño a esta edad, y muchas veces puede ser éste el motivo por el que no quiera o no pueda mostrarse más autónomo.

Muchos niños prefieren recibir atención, aunque sea para regañarles o castigarles, a no recibirla. Si perciben que con hacerse pis encima el padre va a estar más tiempo con él, aunque sea para regañarle, la atención del adulto se convertirá, de modo inconsciente en la mayoría de los casos, en un potente reforzador para que siga realizando la conducta no deseada: hacérselo encima.

Es habitual ver casos de niños que tienen celos de la relación de su madre con un hermano menor que no consiguen metas que son normales para su edad. Estos niños no encuentran una motivación para crecer, ya que ser más pequeño o realizar conductas inadecuadas supone gozar de una mayor atención por parte de los padres.

RECUERDA
1. El niño tiene que aprender que el premio es no llevar pañal y poder hacer todo en el retrete.
2. El orgullo por conseguir el objetivo marcado y por lograr una capacidad propia de un niño con más edad es el mejor de los premios.
3. El castigo es seguir llevando el pañal siendo mayor y los inconvenientes que esto conlleva.
4. El niño tendrá que aprender que el hecho de que le ayudemos a crecer y a abandonar el pañal es algo bueno para él por lo que implica.
5. Si continuamente premiamos la conducta de ir al baño, el premio repetido perderá importancia y no servirá como reforzador de la conducta deseada.
6. La alabanza es el mejor de los reforzadores.
7. No por castigar se aprende más rápido.
8. El esfínter se convierte en arma cuando el niño percibe que hacerse pis encima es una conducta importante para el adulto: acaba haciendo pis o dejando de hacer en función de la reacción que pretende provocar en el adulto.
9. Regañarle mucho o enfadarte puede convertirse en un reforzador de la conducta no deseada: hacérselo encima. El niño aprende que cuando se lo hace encima le atiendes más tiempo (aunque sea para regañarle).

Si no le regaño, no aprenderá. FALSO

Que el niño no avise y se haga pis encima mientras esté en el proceso de aprendizaje es algo normal que no tiene por qué irritarnos. Si sabemos que es algo que va a ocurrir y además estamos preparados para que ocurra (llevando ropa de recambio), nuestra manera de sobrellevarlo será distinta. NO PORQUE REGAÑEMOS, INSULTEMOS O RIDICULICEMOS AL NIÑO ÉSTE APRENDERÁ MÁS RÁPIDO. Piensa en lo ridículo que esto suena si lo hacemos en otro tipo de aprendizaje, como en el cuento de *Adiós ruedines*.

> No porque ridiculices a tu hijo o porque le insultes o amenaces aprenderá a ser un experto ciclista.

Cuando se lo haga encima, debemos explicarle que ya sabe dónde lo tiene que hacer y que para ello debe quedarse un ratito sentado hasta que salga, y que si nota las ganas te avise (aunque no sepa). Después de esto le limpiaremos y cambiaremos sin más.

> **IMPORTANTE**
>
> Es el adulto y no el niño el que decide y sabe si tiene ganas o no de ir al cuarto de baño.
> No debemos dejar esto en manos del criterio de un niño de 2 años.

En el caso de que el niño ya tenga un control absoluto y se haga pis o caca encima de manera voluntaria, sí debemos mostrar nuestro disgusto y regañarle como haríamos con cualquier otra conducta inadecuada, y enseñarle cuál hubiese sido la más conveniente: «me avisas, te vas corriendo al baño, no esperes hasta que no puedas más...», pero, repito, una vez que el niño ya tenga adquirido el aprendizaje. ¿Cómo sabemos cuándo sucede esto? Pensemos una vez más en otros aprendizajes, en el ejemplo de los ruedines: ¿cuándo decimos que el niño ya sabe montar en bici?, cuando lleve un tiempo montando y sin caerse. Con el pañal es igual: después de un tiempo sin él, unos tres o cuatro meses, y sin que prácticamente haya habido escapes, podremos pensar que el niño ya tiene consolidado el aprendizaje.

Si no me lo pide o no hace, es que no tiene ganas. FALSO

Hay una cierta variabilidad en la capacidad de retener de unas personas a otras. No todos tenemos el mismo tamaño de vejiga ni la misma capacidad de retener. Cuando se les retira el pañal, hay niños que aguantan cuatro horas sin hacer pis y otros no más de hora y media. Cada uno tiene que saber lo que aguanta su hijo y ponerle a hacer pis cada cierto tiempo, aunque no lo pida y aunque diga que no tiene ganas.

> De la misma forma que no hacemos caso si el niño nos dice que quiere salir a la calle sin abrigo en invierno, tampoco debemos fiarnos de que responda que no quiere hacer pis.

No vamos a preguntar al niño si tiene ganas, porque hay que recordar que es un niño de 2 años, y aunque las tenga y lo sepa, puede olvidarse de ello al momento.

Nos ocuparemos de sentarle hasta que veamos que el niño controla perfectamente y lo pide cuando lo necesita. Le pondremos a hacer pis, si o si, cada, aproximadamente, dos horas, período que iremos alargando a medida que veamos que el niño es capaz de retener durante más tiempo.

Si dice que no tiene ganas o se niega, haremos caso omiso, porque es el adulto quien tiene que ser consciente de la necesidad del niño. No podemos dejar esto a su decisión y «buen criterio».

Incluso con niños mucho más mayores es habitual que aguanten más tiempo del que deben porque no les interesa ir al baño en el momento que tienen necesidad, ya que están entretenidos en otra cosa.

Muchos niños aguantan muchas horas en el cole sin ir al baño. El adulto es el que a menudo tiene que recordar al niño su necesidad de ir, aunque sea mayor y controle perfectamente. Es el adulto el que establece rutinas en el niño que luego se mantendrán con los años, como pasar por el cuarto de baño aunque no se tengan muchas ganas antes de salir de casa o hacer un viaje en coche, previendo que más tarde no tendrá la oportunidad de ir.

> **IMPORTANTE**
>
> Que el niño no lo pida o no haga cuando le pones en el orinal no quiere decir que no tenga ganas, sino que todavía no sabe pedirlo o no controla cuándo hacer voluntariamente.

Un niño con pañal tiene por costumbre hacer pis muchas veces a lo largo del día, porque en cuanto se llena un poco su vejiga se produce la micción de forma refleja. Cuando se retira el pañal es habitual que los niños sigan haciendo lo mismo, necesitando ir al cuarto de baño cada ratito.

No es bueno que al retirar el pañal le pongamos cada media hora o una hora de una forma casi obsesiva. El niño tiene que aprender a retener y su vejiga tiene que ser capaz de llenarse sin evacuar, si no lo que aprenderá es que con la mínima sensación de llenado necesita vaciarla, y la vejiga no aumentará su capacidad funcional.

> Será tarea nuestra que aprenda a demorar y controlar su necesidad de vaciar su vejiga.

Caso: Mencía

Mencía era una niña de dos años y dos meses, muy lista y espabilada, que siguió perfectamente el Programa en 5 pasos y aprendió rápidamente a hacer en el orinal y a retener. Tanto en casa como en el cole, empezó a hacer pis en el orinal al poco tiempo de comenzar a sentarla, y enseguida estuvo preparada para quitárselo. Desde el principio pedía el pis muy frecuentemente y hacía mucha cantidad. Pensamos que la niña bebía mucho líquido y por ello tenía más ganas que de costumbre. Era tantas las veces que Mencía pedía ir al baño que empezamos a fijarnos en la cantidad que hacía, por si podía tener algún trastorno urinario. También nos dimos cuenta de que cuando más pedía hacer pis, era cuando salía al patio de la escuela infantil. Mencía estaba pasando por un momento difícil, pues había nacido su hermanito hacía poco tiempo y sus enfados eran constantes. Pedía hacer pis como una manera de «estar con el adulto», de sentirse acompañada; por otro lado, estaba acostumbrada a vaciar su vejiga ante la mínima sensación de llenado y tenía poca capacidad. Además de esto, era una niña perfeccionista que intentaba hacer todo bien, y un escape suponía para ella un problema grande.

Enseñamos a Mencía que podía esperar y aguantar un ratito más para ir al baño, aunque eso supusiese alguna vez hacérselo encima. Aprendió que no pasaba nada, que si se le escapaba se le cambiaría sin más y que esto no era un fallo por su parte. Atendimos su situación afectiva proporcionando a los padres una guía para que la reforzasen y atendiesen en casa (en otras cosas que no tenían que ver con el control de esfínteres), intentando que desviasen la atención de la conducta que se quería evitar.

En la escuela, las profesoras se mostraron más cercanas y atentas con ella, pero sin reforzar su tendencia a querer ir al baño. Le pedimos que aguantase un poco más cada vez y reforzamos con alabanzas que fuera capaz de aguantar más. Al poco tiempo, unos diez días, Mencía pudo retener durante dos horas sin llantos, sin demandas y sin escapes. El control de esfínteres dejó de ser un foco de atención para ella y su familia.

RECUERDA
1. No todos tenemos la misma capacidad de retener, hay niños que aguantan mucho el pis y otros que tienen que hacer cada hora y media.
2. El adulto tiene que saber lo que aguanta su hijo/alumno y ponerle a hacer pis cada cierto tiempo, aunque no lo pida y aunque diga que no tiene ganas.
3. Igual que no hacemos caso si el niño nos dice que quiere salir a la calle sin abrigo en invierno, tampoco debemos fiarnos de que responda que no quiere hacer pis.
4. No vamos a preguntar al niño si tiene ganas de ir al baño, porque un niño de 2 años, aunque tenga ganas, puede olvidarse o no querer sentarse.
5. Le pondremos a hacer pis aproximadamente cada dos horas, aunque diga que no tiene ganas o que no quiere.
6. El adulto es el que a menudo tiene que recordar al niño su necesidad de ir al baño, aunque sea mayor y controle perfectamente.
7. Es el adulto el que establece rutinas que luego el niño mantendrá con los años, como ir al cuarto de baño antes de salir de casa.
8. No es bueno que al retirar el pañal al niño le pongamos cada media hora o una hora de una forma casi obsesiva.
9. Debemos enseñarle a demorar y controlar su necesidad de vaciar su vejiga para que ésta aumente su capacidad funcional.

Si tiene ganas, me avisará. FALSO

El adulto es el que toma la decisión de cuándo quitar el pañal, independientemente de que el niño pida hacer pis o no. Hay muchos niños que controlan perfectamente y sin embargo no piden hacer pis, simplemente porque se les olvida, porque no les apetece hacer, porque están entretenidos o porque no saben anticiparse a sus necesidades, de la misma forma que muchos no saben cuándo tienen sueño, hambre, calor... Ser conscientes de nuestras necesidades psicobiológicas es algo que se entrena y que no se da de forma innata: vemos muchos adultos que no saben qué les pasa en el cuerpo y establecen relaciones causales de síntomas neurovegetativos que nada tienen que ver con la realidad.

El adulto es el que tiene que decidir la mayoría de cosas a esta edad, porque el niño todavía no está preparado para conocer sus necesidades ni discernir lo que más le conviene. Tiene que ser el adulto el que decida qué ropa poner a su hijo, pues si por él fuera saldría en traje de baño en invierno; o cuándo irse a la cama, porque por él estaría toda la noche viendo dibujos; o qué comida comer, porque si de él dependiera se alimentaría de macarrones y chuches... Es el adulto el que decide cuándo el niño está preparado y cuándo debe tener ganas y estar pendiente para ponerle a hacer pis cada cierto tiempo.

Todos los niños aprenden más tarde que las niñas. FALSO

Es cierto que muchas niñas adquieren antes diversos aprendizajes que tienen que ver con un desarrollo cognitivo más temprano, como aquellos relacionados con el lenguaje o con el juego simbólico...

En ocasiones, las niñas tienen como media una maduración neurológica más temprana que los niños en lo que respecta al control de esfínteres.

También algunas tienen más ganas de aprender ciertas conductas «de mayor» más tempranamente y puede que muchas de ellas sean incluso más escrupulosas y comiencen a interesarse más pronto que los varones de su misma edad en hacer pis en el retrete en lugar de encima.

Aun así, si se les enseña al mismo tiempo, la mayoría de los niños tienen la misma capacidad que las niñas para aprender a controlar esfínteres diurnos, y, por tanto, para dejar el pañal. No nos dejemos guiar por el género, porque, aunque los datos nos indiquen una ligera ventaja de género en este tema, o en cualquier otro, esto no significa que nuestro/a hijo/a, únicamente por pertenecer a ese género, vaya a tener más habilidad o menos en un área concreta.

IMPORTANTE

No debemos guiarnos por el género en el aprendizaje del control de esfínteres, sino en cada niño en particular, sea del género que sea. Las poluciones nocturnas de los niños podrían dificultar el control nocturno.

Lo que les ocurre a muchos padres de hijos varones es que echan la culpa al género y se despreocupan, dando por hecho que su hijo tendrá que aprender más tarde. Los datos que manejamos en las escuelas infantiles nos indican que no están en lo cierto, ya que todos los niños enseñados en nuestro Programa de 5 pasos obtuvieron el mismo porcentaje de éxito que las niñas (98 por 100).

En el caso del control nocturno, el hecho de que el niño pueda tener poluciones nocturnas y éstas vayan acompañadas de un vaciado de orina involuntario, puede dificultar el aprendizaje.

Él solo dejará el pañal. FALSO

De la misma forma que resulta inverosímil que un niño aprenda a montar en bicicleta de un día para otro sin ningún aprendizaje previo y por sí solo, tampoco parece muy probable que el niño se quite el pañal y controle sin problemas.

Es cierto que existen casos, pero son aislados y no la norma. Hay padres que creen que porque el hermano mayor se quitó los pañales solo y sin ningún problema va a ocurrir lo mismo con el segundo; nada más lejos de la realidad. **Cada niño es único.**

Es raro el niño de corta edad que se niega a llevar pañales porque le resulta muy incómodo. La mayoría de los niños se sienten cómodos con el pañal porque es a lo que están acostumbrados y no les molesta hacerse sus necesidades encima (a no ser que tengan algún problema dermatológico o se percaten de que sus iguales no lo llevan porque son mayores y él sí).

Además, los pañales de hoy son cómodos y mantienen el «culito seco», como publican los anunciantes, lo cual no ayuda a que los niños deseen dejarlos.

Es poco práctico esperar a que sea el niño el que demande quitarse el pañal. Es el adulto el que debe decidir el momento adecuado, y siempre tras seguir un aprendizaje previo.

Caso: Jimena

Jimena es una niña que aprendió muy bien con el Programa en 5 pasos y enseguida estaba preparada para estar sin pañal. Aun así, sus padres se resistían porque su hermana mayor había dejado sola el pañal y no había tenido ningún problema. Los padres preferían esperar a que Jimena hiciese lo mismo, y aunque ya estaba preparada, decidieron no quitárselo. Jimena estuvo tres meses ha-

ciendo pis sola en el retrete y sin mojar los pañales. Pasado ese tiempo, y dado que no se los quitaban, empezó a retroceder y a hacerse otra vez pis. Casi todos los días se hacía dos y tres veces pis encima y alguna en el orinal. Costó un tiempo más hasta convencer a los padres de que esto había ocurrido porque no se le había quitado el pañal cuando estaba preparada, esperando a que actuara como lo había hecho la hermana, cosa que no ocurría. Al final fue necesario darle un pequeño empujón a Jimena y quitarle el pañal, incluso sabiendo que los primeros días tendría más escapes de los habituales hasta que aprendiese a que solo tenía que hacer pis en el retrete.

Como ya tenía adquirido el hábito de sentarse, tras unos días de muchos escapes, Jimena fue capaz de retener y hacer pis donde y cuando se lo indica.

Este caso nos demuestra que cada niño es un mundo y no podemos extrapolar lo que haya pasado con un hermano como si eso fuese la regla universal. También nos enseña que hay un momento óptimo para quitar el pañal y que no podemos esperar a que el niño decida cuál es.

RESUMEN

1. Debemos quitar el pañal cuando el niño esté preparado, independientemente de la época del año que sea.
2. Cada niño tiene un desarrollo evolutivo que hay que respetar, aunque debemos suponer que aproximadamente a los 2 años un niño está preparado para abandonar el pañal.
3. No hay que confundir desarrollo cognitivo o maduración psicomotora con el desarrollo neurobiológico necesario para controlar los esfínteres.
4. Un niño que no esté preparado neurobiológicamente no puede aprender a controlar esfínteres, por mucho que se le enseñe.
5. Si el niño es mayor de 18 meses, podemos presuponer que existe la maduración psicobiológica necesaria para retener y aprender a relajar de forma consciente y controlada.

6. Por mucho que el niño esté preparado, si no le enseñamos que hay otro sitio donde puede hacer pis y caca, se lo seguirá haciendo encima.

7. El niño se hace pis encima de manera inconsciente y automática, y lo que queremos al empezar el proceso de control de esfínteres es que haga sus necesidades de forma consciente, controlada y en un sitio diferente del habitual, como el cuarto de baño.

8. Antes de retirar el pañal, es importante que el niño haya condicionado su conducta de hacer sus necesidades en un sitio diferente al pañal, en el orinal o el retrete, y que haya podido hacer varias veces en este sitio de manera voluntaria y no automática.

9. Cuando se retira un pañal de golpe sin aprendizaje previo, en muchas ocasiones lo que ocurre es que la niño no es capaz de controlar voluntariamente la relajación del esfínter para que se produzca la micción o evacuación de heces. Como consecuencia de ello retendrá la orina y/o las heces hasta que pueda. En el caso de las heces, el riesgo es el estreñimiento.

10. Cuanto antes enseñemos a un niño a hacer pis y caca en el cuarto de baño antes abandonará el pañal.

11. Cuando el niño percibe que existe una conducta que nos preocupa o interesa, podrá intentar conscientemente, o no, controlar nuestra conducta por medio de la misma, aumentando o disminuyendo su frecuencia, intensificándola etc. (por ejemplo, hacerse pis encima, dejar de estudiar, no comer solo...).

12. No premiar ni castigar: el premio debe ser no llevar pañal, y el castigo llevarlo. El orgullo de conseguir una capacidad propia de niño mayor es el mejor de los premios.

13. No por premiar o castigar la conducta el niño aprenderá antes.

14. No regañar, ridiculizar o amenazar al niño porque se haga sus necesidades encima, si está en el Programa de 5 pasos.

15. No porque regañes él/ella aprenderá más rápido.

16. No esperes a que el niño te pida hacer pis cuando esté aprendiendo a controlar, ponle cuando creas que sea necesario.

17. El solo no dejará el pañal, eres tú quien tiene que decidir cuándo y enseñarle cómo.

Antes de empezar con el programa

Retrete u orinal
Cuándo es el mejor momento
    Ventajas de empezar a los 18-20 meses
    Caso: Marta

Retrete u orinal

Antes de empezar con el Programa en 5 pasos deberemos decidir si nuestro hijo va a usar retrete u orinal.

Se puede dejar al niño elegir qué es lo que le gusta o directamente optar por una de las dos opciones. Para ello hay que tener en cuenta que ambas tienen ventajas e inconvenientes:

1. En el orinal controlamos la cantidad de pis que el niño hace, porque vemos si ha hecho o no y cuánto ha hecho. Esto nos será útil en el momento en que el niño ya no lleve pañal, porque así podremos saber cuánto tiempo podrá aguantar sin hacer pis, dependiendo de si la cantidad que haya hecho sea mucha o poca.

2. En el retrete no sabemos si el niño ha hecho pis o no, ni cuánto. Para saber si ha hecho hay un TRUCO: poner un papel atravesando el retrete y al levantarse el niño ver si lo ha mojado.

3. El orinal es más atractivo para el niño y le da menos miedo. El retrete es un sitio que a veces les asusta, porque ven agua que se va por las cañerías o porque

piensan que se van a colar por el hueco. IMPRES-CINDIBLE: comprar un adaptador de los blanditos, de espuma, para encajarlo en el retrete puede ser muy útil, así el agujero será más pequeño. De esta manera el niño se sentirá más cómodo, no pensará que se va a colar y podrá estar más tiempo sentado sin agarrarse, lo que facilitará que pueda defecar. Además, el adaptador se usará hasta que el niño sea grande de tamaño, alrededor de los 3 años, y/o cuando el orinal ya resulte pequeño para él.

Para que el niño no tenga miedo al retrete se le tiene que explicar que no se va a colar ni a caer y que el agua no tiene tanta fuerza como para succionarle, así como mostrarle que papá y mamá también lo usan a diario.

4. Aunque el niño haga en casa en el orinal, tendrá que aprender también a hacer en el retrete fuera de casa y

en retretes de diferentes formas, si no, cuando vayamos fuera, será un problema. No caigas en el error de llevar el orinal a todas partes, porque, además de ser un engorro, nunca aprenderá a hacer en otro sitio que no sea en su baño.

5. El orinal es algo menos higiénico que el retrete, pues cuando tiramos de la cadena de éste se va todo.

6. También tiene el peligro de que el niño lo tome como un juguete y no lo use para lo que sirve. Por este motivo, el orinal **siempre se debe usar dentro del baño, y cuanto más simple sea, mejor:** no es un juguete y el niño no debe aprender a estar allí sentado como en una silla sin hacer nada, sino a usarlo para lo que sirve, hacer sus necesidades. Si le ponemos a hacer pis mientras está viendo la tele en el salón, necesitará este estímulo en el caso de que consiga hacer o usará el orinal como un asiento en el caso de que no lo consiga.

Por todo esto, cada uno debe decidir con qué se siente más cómodo, y saber que siempre, tarde o temprano, el niño deberá pasar del orinal al retrete.

Por este motivo, desde el principio, algunos padres deciden usar el retrete con el adaptador, otros el orinal..., cualquier medida estará bien mientras ambos, padres y niños, se sientan cómodos con la opción elegida.

Tabla 4.1

Ventajas e inconvenientes

Orinal	Retrete
Control de la cantidad de orina.	No control de la cantidad de orina.
Mas atractivo/menos miedo.	Sin adaptador da más miedo.
Lo tiene que acabar dejando.	Lo usará siempre.

Tabla 4.1 *(continuación)*

Orinal	Retrete
Fuera de casa no lo tiene.	Fuera de casa será más fácil.
Menos higiénico y cómodo.	Más higiénico y cómodo.
Lo puede tomar como un juguete.	Siempre sabrá su utilidad.

RECUERDA
1. Antes de empezar con el Programa en 5 pasos deberemos decidir si nuestro hijo va a usar retrete u orinal.
2. El orinal es más atractivo para el niño y le da menos miedo.
3. En el orinal controlamos la cantidad de pis que el niño hace, pero es algo menos higiénico que el retrete.
4. TRUCO: para saber si ha hecho pis en el retrete, poner un papel atravesándolo cuando se siente a hacer pis y ver si lo ha mojado.
5. IMPRESCINDIBLE: si usa retrete, comprar un adaptador de espuma, para encajarlo puede ser muy útil.
6. No caigas en el error de llevar el orinal a todas partes; tendrá que aprender también a hacer en el retrete fuera de casa y en retretes de diferentes formas.
7. El orinal no es un juguete, siempre se debe usar dentro del baño y cuanto más simple sea, mejor
8. Orinal o retrete: cualquier decisión estará bien mientras ambos, padres y niños, se sientan cómodos con la opción elegida.

Cuándo es el mejor momento

Creemos que la edad idónea para empezar a aplicar el Programa en 5 pasos es **alrededor de los 18-20 meses,** por varias razones:

- Los 18-20 meses es la edad mínima aproximada en la que se puede empezar con el programa, pero no tiene que ser necesariamente a esta edad. Siempre hay que tener en cuenta que todo depende de cada niño, su evolución y maduración psicobiológica, su motivación o actitud ante el aprendizaje y la actitud de los padres, que siempre estará condicionado al momento por el que estén pasando y las circunstancias familiares de cada uno. La mayoría de los niños empiezan a estar maduros psicobiológicamente a esta edad, que suele coincidir con el hecho de que ya andan solos con soltura. El niño empieza a ser consciente de la conducta de evacuar, que comienza a ser un hecho controlado y no reflejo. Como la aplicación del programa a esta edad es gradual y larga en el tiempo, nos da la oportunidad de que los niños que todavía no están maduros para el programa lo estén al llegar al paso número 3, en el que se quita el pañal de día.

- Se piensa en empezar con el programa a los 18-20 meses porque cuanto antes se estimule a un niño para controlar esfínteres, antes lo acabará haciendo. No pensemos que ocurre algo si se empieza más tarde (siempre y cuando estemos entre el segundo y el tercer año de vida). Empezar antes supone que la aplicación del programa será más gradual, porque irá muy poco a poco y respetará el ritmo que necesite cada niño. Los padres/educadores se darán tiempo y serán más respetuosos con los tiempos que les va marcando el niño, sin agobios ni prisas. El riesgo de empezar más tarde de los dos años y medio es que el niño, como ya hemos explicado, tiene que empezar el colegio con 3 años y algunos ni siquiera los han cumplido. Los padres/educadores comienzan entonces con las prisas de última hora y pretenden quitar el pañal rápidamente. Esto hace que la presión sea máxima y que se le transmita al niño, dificultando el proceso y alargándolo en el tiempo. Además, sería incongruente que a un niño de dos años y medio le pidiéramos autonomía en su vida diaria, le quitásemos chupete, biberón, cuna etc. y siguiese haciéndose pis y caca en el pañal, como un bebé. La independencia y autonomía en otras áreas tiene que venir necesariamente secundada por la retirada del pañal: símbolo universal de los bebés.

- El niño que empieza a sentarse en su orinal o en el retrete a los 18-20 meses probablemente alrededor de los 2 años esté sin el pañal diurno y, después de un mes y medio, sin el nocturno y el de la siesta.

Esto supone que el gasto en pañales va a ser mucho menor, tendrá menos irritaciones en la piel y será más fácil que se mantenga siempre limpio, minimizando el riesgo de infecciones. Además, el niño de 2 años sin pañal se sentirá mayor y disfrutará intentando nuevos aprendizajes que le den mayor autonomía, lo que reforzará su autoestima. No llevar pañal les dará a él y a los padres mayor libertad para estar fuera de casa sin tener que preocuparse de los cambios.

Ventajas de empezar a los 18-20 meses

1. Estimulamos al niño para que se dé el aprendizaje y se interese por el control de esfínteres.
2. El programa se aplicará más lentamente y de forma más gradual. No existirá tanta presión en los padres ni en el niño porque no habrá prisas ni tiempo programado. Se seguirá el ritmo del niño más fácilmente.
3. Dejará los pañales antes, con las ventajas que esto conlleva: menos gastos, más movilidad de la familia, menos irritaciones de la piel...
4. El niño se sentirá orgulloso y esto favorecerá que intente «ser mayor» en otras áreas, fomentando la autonomía.

5. Cuando el niño comience el colegio ya tendrá consolidado el control de esfínteres, así que los retrocesos serán menos probables.

Caso: Marta

Marta era una niña de 7 años que consultó por problemas en el colegio, ya que unas compañeras de clase le acosaban metiéndose continuamente con ella.

La niña se sentía indefensa y sin recursos para hacer frente al acoso. Revisando su historia, vimos que Marta siempre fue una niña muy arropada por su madre. No era muy autónoma porque su madre siempre le hacía todo y también había estado muy pendiente para que nunca tuviese problemas en el parque adelantándose a los posibles conflictos.

Marta había dejado tarde el biberón, alrededor de los 3 años. Lo mismo había ocurrido con todo lo demás: el chupete, la cuna, el pañal... Todavía con 7 años dormía con el pañito de cuando era bebé y nunca había podido dormir fuera de casa. La madre pensaba que no había prisa por dejar todo esto. Se resistía a que su hija creciese porque le daba pena dejar de tener un bebé en casa y porque estaba segura de que nada de esto perjudicaba a la niña.

En cuanto al tema del pañal, la madre contaba que, a diferencia de lo que creía todo el mundo, su hija no tuvo ningún problema en abandonar el pañal y que todo había sido sencillo y rápido a la edad de 3 años.

El pañal no era algo aislado en este caso, y casi nunca lo es. La sobreprotección de la madre y su falta de prisa porque creciese habían propiciado que la niña fuese insegura, dependiente y poco autónoma, lo que había desembocado en una falta de recursos al tenerse que enfrentar a sus iguales en el colegio. El pañal no había sido ningún problema, por suerte, pero sí todo lo demás. A la madre le costaba ver todo esto, no siendo consciente de lo que la sobreprotección que ella ejercía producía en su hija.

RESUMEN

1. La edad idónea para empezar a aplicar el Programa de 5 pasos es alrededor de los 18-20 meses.
2. Es la edad mínima aproximada en la que podemos empezar con el programa, pero no tiene que ser necesariamente a esta edad, todo depende de cada niño.
3. Cuanto antes se le estimule a un niño para controlar esfínteres antes lo acabará haciendo.
4. No pasa nada si empezamos más tarde, la decisión dependerá de cada caso.
5. Empezar antes supone que la aplicación del programa será más gradual y por tanto más fácil.
6. El riesgo de empezar más tarde de los dos años y medio es que el niño tiene que comenzar el colegio con 3 años o antes, y que resulta incongruente pedirle que sea mayor en otras áreas llevando pañal.
7. El niño que a los 18-20 meses empieza a sentarse, probablemente alrededor de los 2 años esté sin el pañal diurno y, después de un mes y medio, sin el nocturno y el de la siesta.

Aplicación del programa. Pasos a seguir desde los 18 meses para que el niño abandone el pañal diurno sin problemas

5

Paso 1. Buscar un momento del día para ir al baño

Trucos para conseguir que se siente en el retrete

Al empezar el Programa en 5 pasos lo primero es que el niño entienda que existe otro lugar donde puede hacer pis y caca, que es posible que lo pueda hacer en otro sitio, aunque al principio siga haciéndoselo siempre en el pañal. Es una **toma de contacto** que puede durar meses si el niño es menor de 2 años, y semanas si es más mayor.

Lo que se pretende es que el niño se acostumbre al baño y empiece a hacer consciente todo lo que tiene que ver con la conducta de controlar el esfínter. Por eso, no vamos a forzar demasiado el tema y tampoco (cuando algún día no tengamos tiempo o se nos olvide ponerle), nos vamos a agobiar por el tiempo que tardemos en que el niño aprenda la rutina de sentarse.

Lo primero que tenemos que hacer es buscar un momento óptimo del día para sentarle en el retrete u orinal, según hayamos decidido.

Este momento del día tendrá que ser **siempre el mismo y todos los días,** aunque sin agobiarse por las excepciones.

Es un primer contacto que el niño al principio tomará como un juego en el que el padre o la madre no le apremiará, ni le forzará, ni le premiará, ni le castigará por sentarse o no.

Lo importante no es que el niño haga o no pis o caca, sino que se establezca una rutina de ir al baño en un momento del día.

El niño aprenderá que todos los días, en el momento elegido, y durante unos minutos, deberá estar sentado en el retrete u orinal, y nada más.

En el caso de que empiece en la escuela infantil antes que en casa, el mejor momento para sentarles será en función de la marcha de cada centro. La experiencia realizada con varias escuelas nos dice que cualquier momento es bueno como primera elección, siempre y cuando los niños se sienten varios a la vez, ya que la imitación de los iguales es un potente reforzador.

Trucos para conseguir que se siente en el retrete

1. Hay que elegir sólo *un momento del día:* el momento que yo recomiendo para empezar es antes de meter al niño en la bañera para bañarle. Es un momento en el que el agua ayuda para que tenga más ganas de hacer pis. También el niño está desnudo, y esto facilita que se siente. Además, es un momento que puede integrarse fácilmente en la rutina diaria.

2. *No preguntarle* al niño si quiere o no hacer pis: hay que desnudarle, sentarle en el retrete u orinal mientras se le habla de otra cosa y que se mantenga sentado un ratito.

3. Estar con él en el baño *entreteniéndole* para que no le den ganas de levantarse.

4. *Si se resiste, mejor no insistir* y dejarlo para el día siguiente, siguiendo con la rutina del bañarle como si nada. Lo más probable es que en los primeros días ese ratito sea medio segundo, como si el retrete/orinal «le

quemase»; no importa, ya habrá tiempo para que permanezca más rato.

5. Estar unos *dos minutos como máximo* y levantarle, aunque no haya hecho nada.

6. *Explicarle* que todos los días tiene que sentarse en el retrete/orinal antes de meterse en la bañera.

7. Repetir esta operación todos los días hasta que se establezca una rutina: que el niño aprenda que primero se desnuda, luego se sienta en el retrete y después se mete en la bañera.

8. Para que la rutina se establezca deberá *pasar un tiempo* que casi nunca es inferior a 15 días, así que, ¡tómalo con calma!

La manera de proceder tiene que ser como con cualquier otra rutina que vayáis a enseñar, por ejemplo, lavarse los dientes, vestirse por las mañanas... Tiene que ser algo constante, una actividad que hay intentar repetir todos los días (aunque al principio no se consiga).

Si durante las primeras veces se levanta enseguida, no pasa nada, no hay que empeñarse, de la misma forma que al principio le enseñamos a lavarse los dientes como un juego y poco a poco se va estableciendo la rutina de hacerlo todos los días. En esta etapa no hay que agobiarse si el niño se resiste a sentarse; no hay que obsesionarse con el tema..., como hemos empezado pronto, no pasa nada porque tardemos hasta que esto se adquiera y nos lo tomemos con calma.

Tampoco pasa nada porque se nos olvide algún día ponerle, lo importante es que se vaya creando la rutina y que el niño vaya aprendiendo que existe otro sitio donde se puede hacer pis y caca, aunque siga haciéndoselo todo encima. Es una toma de contacto con el retrete y el orinal, y lo que se pretende es eso, tomar contacto y que se vaya creando el hábito, y nada más.

Hay niños que los primeros días hacen alguna vez pis en el retrete/orinal, y es común también que luego dejen de hacerlo.

También es normal que el niño en esta etapa nunca haga pis en el retrete; tranquilo/a, esto no es signo de que le vaya a costar aprender a controlar su esfínter.

Trucos para conseguir el paso 1
1. Hay que elegir sólo un momento del día: el mejor es antes de meter al niño en la bañera para bañarle.
2. No preguntarle al niño si quiere o no hacer pis y sentarle directamente.
3. Estar con él en el baño entreteniéndole para que se mantenga sentado.
4. Si se resiste, no insistir.
5. Estar unos dos minutos como máximo y levantarle, aunque no haya hecho nada.
6. Explicarle que todos los días tiene que sentarse antes de meterse en la bañera.
7. Repetir esta operación todos los días hasta que se establezca una rutina.
8. Para que la rutina se establezca deberá pasar un tiempo, que casi nunca es inferior a 15 días.

¿Cuándo está preparado para el paso 2?
Cuando el momento de ir al baño se haya integrado como una rutina más del día, independientemente de que haya hecho pis alguna vez o no.

RESUMEN
1. Buscar un momento óptimo del día para sentarle en el retrete u orinal.
2. El momento tendrá que ser siempre el mismo, y todos los días.
3. No se le apremiará, ni forzará, ni premiará, ni castigará por sentarse o no.

4. Lo importante no es que el niño haga o no pis o caca, sino que se establezca una rutina de ir al baño en un momento del día.
5. Es una toma de contacto que puede durar meses si el niño es menor de 2 años, y semanas si es más mayor.
6. La idea es que el niño entienda que existe otro sitio donde puede hacer pis y caca, aunque siga haciéndoselo siempre en el pañal.
7. Pasar al paso 2 cuando el momento de ir al baño se haya integrado como una rutina más del día, independientemente de que haya hecho pis alguna vez o no.

6

Paso 2. Crear una rutina de ir al baño y establecer otros momentos del día para sentarse

Cuando se haya adquirido esta rutina en el momento del baño, e independientemente **de que haya hecho o no pis en el retrete u orinal,** hay que elegir otro momento del día para sentarle y actuar de igual forma que en el paso 1.

Sería bueno que comunicaseis en la escuela infantil (si vuestro hijo va) que el niño está empezando a sentarse a hacer pis, para que también le sienten allí.

Si cuando vosotros empezáis en casa, en vuestra escuela no pueden o deciden que no quieren empezar todavía, no os agobiéis, no pasa nada, vuestro hijo puede aprender solo en casa.

Si en la escuela os dicen que han empezado a sentarle y vosotros no lo habéis hecho, es importante que empecéis, porque, a no ser que el niño se pase muchísimas horas en la escuela, es más difícil que aprenda a controlar esfínteres si sólo se le enseña allí y en casa no. En la escuela infantil todo es más fácil, hacen lo que la profesora les dice porque saben que no hay réplica, imitan a otros compañeros que también se sientan y, además, los tiempos marcados para establecer rutinas son muy claros y siempre constantes.

El siguiente momento del día para sentarle puede ser en la escuela infantil o en casa, y tiene que ser un momento en el que no haya prisas.

Es por ello que muchos padres deciden que tras levantarse por la mañana no es el mejor momento.

Sería aconsejable que el rato que el niño está sentado en el retrete u orinal se vaya alargando, nunca más de cinco minutos en el caso del pis. Para ello intentaremos distraer al niño sin decirle que tiene la obligación de orinar.

Cada día debemos usar una motivación diferente para que no se habitúe y pierda el interés: cantar una canción, contar hasta diez, hacer los cinco lobitos, contar un cuento, preguntarle un acertijo, colocar una pegatina en la pared del baño... La oferta es infinita, depende de la imaginación de cada uno.

Alguna madre ocurrente le ha enseñado a su hijo pasos de Semana Santa en el móvil, hacer algún puzle, darle un cepillo de dientes para que se los cepille, insertar bolitas en un palito... ¡Mientras que lo que uses no acabe en la taza!...

Sentarse no puede ser una pelea. Muchos niños se muestran reticentes a la hora de sentarse, especialmente si interrumpimos algo agradable que estén haciendo. En estos casos es mejor no avisar de que se tiene que sentar y llevar al niño al baño con cualquier excusa, por ejemplo, «¿me acompañas al baño y me ayudas a abrir el grifo del agua, que no puedo?», o a poner el tapón de la bañera o sacar una toallita..., y una vez en el baño se le bajará los pantalones mientras se le distrae y se le sentará.

Pero si no quiere sentarse, tampoco debemos dejarlo pasar en todas las ocasiones, o pensar que todavía no es el momento; el niño no puede decidir esto y tenemos que conseguirlo sin que, como digo, sea un combate abierto.

Al principio muchos niños se resisten a sentarse porque es algo diferente, porque no les apetece, porque lo nuevo les asusta o por centrar la atención de sus madres. Si al resistirse consiguen que no les sentemos, la conducta se verá reforzada y ya sabrán lo que da resultado la siguiente vez. Si nosotros insistimos más, lo que ocurrirá normalmente es que su conducta de resistencia se intensifique, pero no por ello debemos abandonar el objetivo, ni dejarlo para más tarde. ¿Harías lo mismo si se tratase de ponerse un abrigo en pleno invierno y el niño se resistiese? ¿Abandonarías o buscarías la forma de ponérselo? En este caso es diferente porque no se debe emplear la fuerza, ya que sería contraproducente. En el término medio, como casi siempre, está el acierto.

Es importante que los niños tengan algún aliciente extra para ir al baño con el fin de que la resistencia sea menor:

- Tirar de la cadena: una vez, no cincuenta.
- Limpiarse con una toallita: en cuyo caso le limpiarás primero tú y luego le dejarás sacar la toallita y limpiarse él, evitando así que saque veinte.

- Subirse él solo al retrete: para ello le comprarás un escalón tipo IKEA para que llegue, y no le tiente subirse a la tapa y se pueda caer.
- Coger el papel higiénico: bajo tu supervisión, para que no corra por todo el cuarto de baño como el típico anuncio de papel higiénico.
- Abrir el grifo del agua para lavarse las manos: sin que esto suponga vaciar las reservas de agua del país...

IMPORTANTE

Al sentarle más veces en el retrete/orinal, más veces conseguirá hacer pis en el baño.

Con todo esto el niño establecerá una **rutina que será atractiva para él:** voy al baño, pongo el escalón, me subo, me siento, cojo un trozo de papel, me entretengo con algo, cojo una toallita y me limpio con ella, miro lo que he hecho, caca o pis, me despido de ello con la mano, tiro de la cadena y me bajo del escalón. Toda una divertida rutina que hará más entretenidos sus momentos en el baño, teniendo en cuenta que van a ser muchos al día.

Después de tener adquirido el hábito del segundo momento del día, se procederá igual para un tercer momento, y así irá teniendo «momentos de ir al baño» cada vez más numerosos.

A medida que vaya adquiriendo la rutina de «momentos» de ir al baño irá haciendo más veces en el orinal/retrete.

El primer día que haga en el orinal/retrete será una casualidad, y seguramente un acto automático e involuntario.

Al producirse un día el suceso fortuito de hacer pis, el niño establecerá la relación entre sentarse en el retrete u orinal y la micción, con lo que se conseguirá el condicionamiento. Ese día deberás felicitarle y alabar el logro que ha conseguido: «*¡qué bien, mira el pis tan grande que has hecho!, ¿cómo lo has conseguido?, ¡eso es que eres todo un mayor!*, «*cuando llegue papá se lo contaremos*». Tampoco hay que hacer una fiesta del tema, como sucede con cualquier otro logro en su desarrollo (por ejemplo, empezar a andar).

Poco a poco, el niño será más consciente y empezará a hacer alguna vez en el retrete.

En este punto el niño ya tendrá establecidos varios momentos de ir al baño. **Algunos niños empezarán a hacer pis en esos momentos y otros no lo harán ninguna vez.** No te preocupes porque haga pis y caca en el pañal, es normal porque es lo que se espera durante la aplicación del Programa en 5 pasos.

Que haga más a menudo es indicio de que el niño va bien; que no haga nunca no es síntoma de que vaya mal, sino de que le hace falta más tiempo para poder ser capaz de hacer pis de una forma controlada y cuando él quiera. Esto no quiere decir que no sea capaz de retener. Algunos niños con mucha capacidad de retención no hacen ni una vez pis o muy pocas veces, aunque llevemos meses sentándoles varias veces al día. En ocasiones, estos niños necesitan más tiempo, y en otras quitarles el pañal para que no tengan más remedio que forzarse a hacer en otro sitio. Son niños a los que les cuesta relajar el esfínter y condicionar esto al retrete u orinal. Si se hacen pis encima una vez quitado el pañal, no es porque no puedan retener, sino por una dificultad para hacer de forma consciente en otro sitio y de otra manera.

Los «momentos de ir al baño» serán los siguientes (aproximadamente cada 2-3 horas). Piensa que serán unas veces más de las que tú vas al día, pero no muchas más, unas ocho o diez veces.

Momentos de ir al baño
• Al levantarse. • A media mañana. • Antes de comer. • Antes de la siesta. • Después de la siesta. • A media tarde. • Antes del baño. • Antes de ir a la cama.

Al final del día el niño habrá hecho pis en el retrete u orinal unas ocho o diez veces.

No es cuestión de estar todo el rato poniendo al niño a hacer pis y con el tema en la cabeza, porque si no, será una obsesión para ti y un martirio para él. Le pondrás en tiempos ya establecidos por las rutinas diarias. De ese modo a los dos os resultará más fácil: a ti por no tener que estar pendiente del tema, y a él porque lo vivirá como un suceso más dentro de su rutina diaria.

> Por esto es importante no introducir un nuevo momento más al día para ir al baño hasta que el anterior se haya integrado como rutina en el día a día.

No te agobies si no puedes ponerle en todos los momentos, pero sí es importante que vayas estableciendo esta rutina, pues cuando retires el pañal, éstos serán los momentos en los que tu hijo necesitará ir al baño, si no quieres que se lo haga encima.

Cuando tengas establecidos estos momentos **intenta fijar la rutina de sentar en el retrete/orinal a tu hijo/alumno en el momento que sepas que normalmente hace caca.** Dicho momento suele ser después de desayunar o de comer. Si no hace caca al principio, actúa como con el pis, porque lo importante es establecer la rutina y esperar a que algún día consiga hacer en el momento que le pones.

Trucos para conseguir el paso 2. Establecer una rutina

1. Usar una motivación diferente para que no se habitúe y pierda el interés: cantar una canción, contar hasta 10, hacer los cinco lobitos, contar un cuento, preguntarle un acertijo, colocar una pegatina en la pared del baño...
2. Que sentarse no sea una pelea.
3. Si no quiere, tampoco debemos abandonar la tarea: seguir intentándolo a diario.
4. Que tengan un aliciente extra para ir al baño:

   • Tirar de la cadena.
   • Limpiarse con una toallita.
   • Subirse él solo al retrete.
   • Coger el papel higiénico.
   • Abrir el grifo del agua para lavarse las manos.

5. Aumentar los momentos de ir al baño a medida que se establezcan como rutinas.
6. No introducir un nuevo momento más al día para ir al baño hasta que el anterior se haya integrado como rutina en el día a día.
7. En este momento en el que el niño ya va muchas veces al baño será muy útil que uses unos pañales «tipo braga», que puedas bajárselos al sentarle y se los vuelvas a subir después. Te ahorrarás tiempo y el niño irá habituándose a lo que luego pasará cuando use calzoncillos o bragas.
8. Será importante que para esta época ya no use *bodys* que le dificulten la tarea de ir al baño y que la ropa que lleve sea fácil de subir y bajar (no están recomendados los pichis, los leotardos bajo el pantalón, los cinturones o los tirantes), si no será un suplicio tanto para ti como para él ir al retrete.
9. Espera a ponerle bragas o calzoncillos cuando ya le hayas quitado el pañal. Lo vivirá como un premio y como un signo de que ya es mayor; si se los pones antes, perderá el valor, y además es un engorro para ir al baño si tiene debajo el pañal.

¿Cuándo están preparados para el paso 3?

Cuando estén integrados en el día a día como rutinas varios momentos de ir al baño (no menos de cuatro) y la mayoría de las veces consigan hacer pis en el retrete/orinal, aunque el pañal siga mojado de vez en cuando.

RESUMEN

1. Independientemente de que haya hecho o no pis en el retrete u orinal, elegir otro momento del día para sentarle y actuar de igual forma que en el paso 1.
2. Comunicar en la escuela infantil que el niño está empezando a sentarse a hacer pis, para que también le sienten allí.
3. El siguiente momento del día para sentarle puede ser en la escuela infantil o en casa, y tiene que ser un momento en el que no haya prisas.
4. Intentar alargar el rato que el niño está sentado en el retrete/orinal (nunca más de cinco minutos en el caso del pis).
5. Usar una motivación diferente para que no se habitúe y pierda el interés.
6. Sentarse no puede ser una pelea, pero si no quiere, tampoco debemos dejarlo pasar en todas las ocasiones.
7. Darle un aliciente extra al ir al baño para que la resistencia sea menor; que el niño establezca una rutina que sea atractiva para él.
8. Después de tener adquirido el hábito del segundo momento del día, se procederá igual para un tercer momento, así se irán teniendo «momentos de ir al baño» cada vez más numerosos.
9. A medida que vaya adquiriendo la rutina de «momentos» de ir al baño irá haciendo más veces en el orinal/retrete.
10. El día que haga pis en el orinal/retrete hay que felicitarle y alabar el logro que ha conseguido.
11. Que haga más a menudo es indicio de que el niño va bien.
12. Que no haga nunca no es síntoma de que vaya mal, sino de que le hace falta más tiempo para poder ser capaz de hacer pis de una forma controlada y cuando él quiera.
13. Los «momentos de ir al baño» serán cada 2-3 horas.
14. Al final del día el niño habrá hecho pis en el retrete u orinal unas ocho o diez veces.
15. No es cuestión de estar todo el rato poniendo al niño a hacer pis; se le pondrá en tiempos ya establecidos por las rutinas diarias.
16. Es importante no introducir un nuevo momento más al día para ir al baño hasta que el anterior se haya integrado como rutina en el día a día.
17. Cuando tenga establecidos varios momentos de ir al baño a hacer pis, intentar establecer la rutina de sentarle

en el retrete/orinal en el momento que normalmente hace caca.

18. Si no hace caca al principio, hay que actuar como con el pis; lo importante es establecer la rutina y esperar a que algún día consiga hacer en el momento preciso.

19. Pasar al paso 3 cuando estén integrados en el día a día como rutinas varios momentos de ir al baño (no menos de cuatro) y la mayoría de las veces consiga hacer pis en el retrete/orinal, aunque el pañal siga mojado de vez en cuando.

7

Paso 3. Quitar el pañal diurno, ¡ya está preparado!

Caso: Pedro

Los temidos escapes

Le he quitado el pañal y no deja de hacerse pis encima: ¿se lo vuelvo a poner?

Consolidando el paso 3

El Tren SECO SECO

Cuando el pis es un arma

¿Qué se debe hacer?

Caso: Jesús

Es importante que los dos miembros de la pareja estén de acuerdo

Caso: Daniela

Si el niño ya tiene establecida la rutina de varios momentos al día para ir al baño, hace muchas veces en el retrete/orinal (no hace falta que sea siempre que le sentamos) y mantiene el pañal bastantes veces seco (no hace falta que sea siempre seco), es momento de quitar el pañal de día.

Para tomar la decisión hablaremos con la escuela infantil, si es que va, y tendremos en cuenta el momento y las circunstancias que rodean al niño.

No sería aconsejable quitar el pañal si ese día o al siguiente vamos a estar mucho tiempo fuera de casa, o si tiene un cumpleaños esa tarde, o si acaba de nacer un hermano...

Debemos buscar el momento más idóneo, aunque tener muchas cosas tampoco nos puede retrasar demasiado, ya que casi nunca existe el «momento perfecto».

Si no encuentras nunca el momento de quitar el pañal, pregúntate qué es lo que te asusta, porque quizá lo estés retrasando inconscientemente.

Caso: Pedro

Pedro era un niño que iba a la escuela infantil desde edad temprana. Desde muy pequeño nos llamó la atención que la madre todos los días nos repetía las mismas cosas sobre el cuidado que debíamos tener con el niño: «tened cuidado de que no se caiga, no le llevéis al patio si hace mucho frío...», aunque ya era mucho el tiempo que Pedro llevaba en la escuela y sabíamos que ella confiaba en nosotros.

Más tarde, averiguamos que era una madre que trabajaba mucho y se sentía culpable por dejar a Pedro en la escuela. Le costaba delegar su cuidado y no podía desconectar cuando estaba trabajando. Vivía todo lo nuevo con bastante ansiedad y se la transmitía al niño; con el pañal no fue distinto.

A Pedro le costó empezar a sentarse en el orinal. Chillaba y lloraba amargamente cuando se le pedía que se sentase, como si fuese algo horrible. Poco a poco, se fue acostumbrando y lentamente comenzó a estar tranquilo a la hora de sentarse.

Pasado un tiempo, empezó a hacer pis en el orinal. Cuando estuvo preparado para quitarle el pañal, su madre todavía no lo estaba: siempre tenía un cumpleaños ese fin de semana, o se iban fuera de su lugar de residencia, o venía un familiar a visitarlos..., el caso es que nunca era un buen momento.

Nos dimos cuenta de que la madre tenía miedo a quitarle el pañal, la tranquilizamos y aseguramos que todo saldría bien. No nos equivocamos: al mes, Pedro no llevaba pañal y prácticamente no había tenido escapes.

Existe una excepción aquí, y es la del/la niño/a que después de un tiempo, unos dos-tres meses, de sentarle a hacer pis nunca o casi nunca ha hecho. Esto significa que su capacidad de retención es muy elevada porque, si no, alguna vez se le habría escapado. Este niño necesita que se le quite el pañal para poder entender que tiene que hacer en otro sitio, está estancado en el aprendizaje y necesita «un empujoncito». Si lleva varios meses sentándose con el hábito de muchos momentos del día bien establecidos y no ha hecho pis nunca, le quitaremos el pañal para forzarle a hacer en el retrete.

Lo que sucede normalmente es que desde que se le quita el pañal puede estar dos semanas reteniendo mucho el pis, sentándose en el retrete muchas veces sin hacer nada y haciéndoselo encima porque no aguanta más.

Aquí el problema no es que no sea capaz de retener, sino de relajar el esfínter voluntariamente cuando se sienta en el retrete.

¡Estate tranquilo/a!, después de una semana o diez días sin pañal habrá un día que empiece a hacerlo en el retrete, y problema resuelto.

Si la familia está pasando por un cambio que pueda producir algo de ansiedad en el niño o en vosotros, esperad un poco para quitar el pañal.

> **IMPORTANTE**
>
> Si acaba de nacer un hermano, aun cuando el hijo mayor esté preparado para dejar el pañal, espera tres o cuatro semanas para quitárselo, así la adaptación a la nueva situación no interferirá demasiado en el aprendizaje.

A menudo, las madres embarazadas me preguntan cuándo es el mejor momento para quitar el pañal a su primer hijo. **Sería aconsejable hacerlo antes de que nazca el bebé, siempre y cuando el niño esté preparado,** porque después no van a tener tanto tiempo para dedicarle al tema.

Si acaba de nacer un hermano, aun cuando el hermano mayor esté ya preparado, es mejor esperar dos-tres-cuatro semanas para quitarle el pañal, así la adaptación a la nueva situación no interferirá demasiado en el proceso de aprendizaje.

Ahora bien, **si el bebé tiene ya más de dos meses,** aunque el hermano mayor muestre celos, se le quitará el pañal si está preparado. Hay que tener en cuenta que los celos entre hermanos aumentarán cuando el bebé comience a interactuar, gatear y andar; para entonces nunca será buen momento.

Si la situación nueva es una mudanza, es preferible esperar a tener todo colocado y estar más tranquilos. Una semana después suele ser tiempo suficiente para estar adaptados y poder quitar el pañal al niño, pero tampoco pasa nada si se espera dos.

Cómo quitar el pañal diurno

- Explícale que le vas a quitar el pañal porque ya está preparado y que si tiene ganas de hacer pis te lo diga.
- Dile que no pasa nada porque se lo haga encima, que le cambiarás y que aprenderá poco a poco.
- Ponle unos pantalones fáciles de bajar, tipo chándal (sea niño o niña) y lleva una mochila con ropa de repuesto: al menos tres mudas completas, es decir, pantalones, calcetines y zapatos, porque cuando se lo hacen encima mojan todo (esta mochila tendrás que llevarla durante unos meses a todos lados para evitar sorpresas).
- Siéntale a hacer pis cada 2 o 3 horas (sin preguntárselo), coincidiendo con las rutinas establecidas, con los momentos de ir al baño.
- No esperes a que él lo pida, casi nunca lo hacen.
- Avisa en la escuela para que le sienten cada cierto tiempo y así estar coordinados.
- Deja que juegue con líquidos: en la bañera, poniéndole recipientes que pueda llenar y vaciar, con el grifo bajo tu supervisión, o en el parque con un cubo o con globos de agua (si el tiempo lo permite). Ver cómo se llena y vacía un recipiente y/o cómo un grifo se abre y cierra le ayudará a entender cómo funciona su vejiga.
- Usa cuentos, dibujos, juegos sobre el tema.

Los temidos escapes

Al ser el control de esfínteres **un proceso,** es normal que se produzcan escapes, es decir, que al principio el niño se haga pis encima y más frecuentemente caca. Esto es considerado no como un retroceso del aprendizaje, sino como parte del mismo. Damos por hecho que los escapes se van a producir, que es normal que se produzcan y que lo excepcional es que no haya ninguno. El niño, en el proceso de aprendizaje (que puede durar un año o más en el caso del control nocturno y varios meses en el diurno) puede tener numerosos escapes que no se consideran retrocesos mientras el aprendizaje no haya sido definitivo.

Tras la retirada del pañal, los escapes en los primeros días serán muy frecuentes, unas cuatro o cinco veces al día, pero poco a poco irán disminuyendo. Lo lógico, si todo va bien, es que a las dos semanas el niño controle y retenga si se le sienta cada dos-tres horas en los momentos de ir al baño establecidos. Es decir, que no se haga pis encima casi nunca y que prácticamente todas las veces que se le siente haga voluntariamente.

Es importante estar pendiente y ponerle cada dos-tres horas para evitar que se lo haga encima. Esto no será un problema, ya que en este punto ya están bien establecidos los momentos de ir al baño a lo largo de todo el día. En un niño que está aprendiendo, casi siempre es una situación indeseada para él que se produzca un escape, lo cual le puede llevar a pasarlo mal, a avergonzarse o a desmotivarse. Por esta razón tendremos que ayudarle para que los escapes sean los menos posibles, respetando la rutina de los momentos de ir al baño. Así, por un lado, no estará mucho tiempo sin sentarse a hacer pis y, por otro, anticiparemos situaciones que pueden favorecer que se den los escapes.

Tenemos que ser nosotros los que pongamos al niño a hacer pis y **no esperar a que él se acuerde.**

Situaciones en las que es más probable que se den los escapes
• Si está muy entretenido, lo más probable es que no quiera cortar el juego y, aunque sienta las ganas de hacer pis, se aguante lo más posible: intenta que ir al baño sea otro juego para él y no le avises para ir, porque se resistirá. • Si ha bebido mucho líquido, tendrás que ponerle más a menudo. • Si está excitado porque está, por ejemplo, en un cumple, puede ser más probable que se lo haga encima; prevé la situación y ponle más veces.

En este tiempo, si salimos de casa llevaremos al niño a un baño público. Si estamos en un parque, le pondremos a hacer pis en un árbol, para que se acostumbre a hacer en cualquier sitio. Tened en cuenta que cuando el niño tiene ganas no puede esperar a encontrar un baño cerca, sería demasiado tiempo y se lo haría encima.

IMPORTANTE

Los escapes son algo normal y no intencionados, por eso no hay que enfadarse ni castigar al niño por ello.

Si el niño se ha hecho pis o caca encima, no le debemos retar, humillar, ridiculizar o compararle con otros amigos o hermanos que ya han logrado el control de esfínteres antes o mejor que él. Recordemos que no hay nada que él pueda hacer para controlar más rápido y que son la práctica y la rutina las que le ayudarán: los escapes no son algo voluntario, no hay que enfadarse ni castigar al niño. Si le insultamos, humillamos o castigamos, lo único que conseguiremos es generar rabia, enfado, culpa, tristeza o indefensión, y esto, en lugar de ayudar, empeorará la situación.

Si se produce un escape, deberíamos decirle que no se preocupe, que enseguida le cambiaremos de ropa (la culpa es contraproducente por la ansiedad que genera). Hay que intentar no mostrar asco ni irritación. Tampoco hay que dejarle mojado más tiempo del necesario porque lo interpretará como un castigo y le generará ansiedad. Al no darle nosotros importancia, el niño entenderá que es algo que está dentro del proceso de aprendizaje, y entonces tampoco él se la dará.

Le explicaremos en un tono normal y sin enfado que tiene que hacer pis en el baño, recordándole que no lleva pañal.

Para que pueda conseguir el objetivo, le motivaremos diciéndole que pronto aprenderá y que le vamos a ayudar, pero necesitamos que él también ponga de su parte. Será positivo enumerar las ventajas de no llevar pañal y mostrar orgullo por lo bien que lo está haciendo.

No volver a poner el pañal nunca, aunque se produzcan numerosos escapes o situaciones especiales (un viaje, se va fuera a dormir, está enfermo...). Hay que darle tiempo y tomarlo con mucha paciencia; al final lo logrará. Si le ponemos el pañal a ratitos y otros se lo quitamos, en lugar de acelerar el proceso de aprendizaje lo retrasaremos.

IMPORTANTE

No volver a poner el pañal aunque se produzcan numerosos escapes o por situaciones especiales (viajes, enfermedad...).

Hablamos de **retrocesos** en el caso de que el niño lleve varios meses controlando perfectamente y de pronto vuelva a hacerse pis o caca encima.

En este caso tendremos que analizar las posibles causas de este retroceso: ¿es una regresión causada por un cambio en su vida que le da inseguridad (por ejemplo, el nacimiento de un hermano, el embarazo de la madre, la adaptación al colegio, un cambio de residencia...) o es producto de una situación de conflicto en casa (con los hermanos por rivalidad o celos, con los padres...)?

Habrá que buscar la causa por la que se produce la regresión y actuar sobre ella para que el control se restablezca. En este caso el retroceso es un síntoma de otra situación sobre la que deberemos actuar para que desaparezca y no se desplace a otro tipo de conducta. Y tampoco aquí deberíamos volver a poner el pañal.

Los supertrucos para quitar el pañal

- En el caso de los niños (masculino), procura que hagan pis sentados en lugar de hacerlo de pie. Esto facilitará que el niño aproveche para hacer caca en algún momento. Cuando ya controle perfectamente el pis y tenga la altura suficiente, se le puede dejar que haga pis de pie, enseñándole a bajarse el pantalón y subir la tapa y, siempre estando al principio pendiente para que no se moje.
- Déjale que toque el orinal o coloque el adaptador y que se involucre en todo el proceso. Que tire su pis al retrete y limpie el orinal.
- Compra un escalón para el retrete y papel húmedo que el niño pueda usar. Cuando ya se sepa limpiar solo, el papel húmedo es muy útil: ¡cuidado con usar 20 toallitas!
- Déjale que te acompañe al baño cada vez que quiera. Es importante satisfacer su curiosidad y que ir al baño lo vea como algo natural.
- El día que haga pis o caca en el retrete u orinal alábale, pero tampoco le hagas una fiesta. Que se sienta orgulloso por estar realizando algo de mayores, pero como cualquier otro aprendizaje, al fin y al cabo hacer pis en el retrete es algo normal y no excepcional.
- Tu colaboración es fundamental.
- Cuéntale cuentos de quitar el pañal o juega a poner a los muñecos a hacer pis. Que la temática de lo que juegue sea la misma que lo que

está viviendo. Esto le ayudará a poner sus ideas en orden y le dará la oportunidad de pensar en ello, de aclarar conceptos, de ver que es un proceso normal, de entender que a otros niños también les puede costar... Jugar a que los muñecos hacen pis te dará la oportunidad de ver cómo está viviendo él/ella el proceso y qué es lo que le preocupa.

- No esperes a que te pida ir al baño, eso viene después de quitar definitivamente el pañal. Muchos niños no aprenden a pedirlo hasta mucho tiempo después, incluso un año más tarde. Ten en cuenta, además, que muchos niños, si están entretenidos o jugando a algo, no querrán ir al baño y se lo harán encima. Enséñale que es mejor ir al baño rápidamente que aguantarse.
- Si desde hace meses ya controla perfectamente y lo pide si lo necesita, vigila si te das cuenta de que lleva mucho tiempo sin hacer o sólo en momentos claves: antes de salir de casa, antes de hacer un viaje en coche, antes o durante una fiesta...
- Si se lo está haciendo encima (pis o caca), no le interrumpas, porque no conseguirás nada, se le cortará y será difícil continuar en el baño. Es preferible que le dejes y le cambies rápidamente.

Le he quitado el pañal y no deja de hacerse pis encima: ¿se lo vuelvo a poner?

Si después de dos semanas tras haber retirado el pañal el niño no deja de hacerse pis encima, deberíamos analizar las causas antes de decidir si le volvemos a poner el pañal de día.

Esto se produce porque el niño no estaba bien preparado madurativamente o porque el aprendizaje no se ha realizado correctamente.

Vamos a repasar cada uno de los casos que se pueden producir por un déficit de aprendizaje y su tratamiento:

1. Entrenamiento prematuro: si se ha empezado a entrenar al niño demasiado pronto y se le quita el pañal cuando todavía no está preparado madurativamente, se le volverá a poner y se reanudarán las rutinas de ir al baño, no quitándoselo mientras no sea capaz de mantenerlo seco la mayoría de las veces entre cambios de pañal y realizar la micción en el baño voluntariamente la mayoría de las veces que se le siente.

2. Aprendizaje demasiado acelerado: se le entrena al niño en una semana sentándole de vez en cuando y se le retira el pañal. Si el aprendizaje no se ha producido, no tiene por qué volverse a poner el pañal. Se le enseña el Programa en 5 pasos desde el principio respetando el tiempo que nos marque, aunque eso suponga que los escapes sean muy frecuentes.

3. Aprendizaje demasiado laxo: aunque se ha entrenado al niño en el Programa en 5 pasos, no se le ha insistido cuando no quería sentarse a hacer pis. Como consecuencia, el niño se lo hace encima, no porque no sepa retener, sino porque se aguanta demasiado. La solución en este caso es no volver a poner el pañal y

no dejar que el niño decida cuándo quiere o no sentarse. Hay que establecer momentos de ir al baño que sean obligatorios y no ceder si el niño no quiere sentarse.

4. Falta de autonomía generalizada: ayudar al niño a crecer auxiliándose en las tareas propias de su edad, como quitarse prendas solo, colaborar haciendo algún recado, comer solo, no usar ni chupete ni biberón, propios de los bebés, dejar con más frecuencia la sillita de paseo e ir andando... Si el niño ha realizado con éxito los anteriores pasos del programa, no se le volverá a colocar el pañal.

5. El niño no ha aprendido a discriminar la sensación de llenado de la vejiga porque se le pone cada muy poco tiempo a hacer pis o se le restringen los líquidos: en este caso tampoco se le vuelve a poner el pañal. Es importante que se siente al niño a hacer pis sólo en los momentos establecidos en el paso 2, dejando unas dos o tres horas sin sentarle en el retrete/orinal, aunque esto suponga un escape. También es importante que el niño beba líquidos a demanda sin ninguna restricción para que su vejiga se llene y aumente su capacidad.

6. El niño se hace pis por la ansiedad generada ante el proceso. No castigar, ni criticar, ni burlarse del niño. No volver a poner el pañal. Intentar no dar importancia a los escapes y no centrar la atención en que el niño se mantenga seco. Reforzar el esfuerzo que está realizando y animarle cada vez que aguante un tiempo seco o cada vez que consiga hacer pis en el retrete/orinal, independientemente de que se produzcan escapes o no.

7. El niño busca activamente la atención haciéndoselo encima. Lo importante aquí es no prestar atención a los escapes, cambiando al niño rápidamente y prestar-

le atención en otros momentos del día. Como en el caso anterior, no volver a poner el pañal.

Sería bueno crear un momento del día especial en el que compartir algo con el niño: lo llamaremos el «momento de mama/papá y... (el nombre del niño)». Un buen momento puede ser tras la cena: cogeremos al niño y nos lo pondremos en el regazo mientras vemos juntos un libro o un álbum de cuando era más pequeño. Uno de los padres se ocupará de llevar al niño a la cama y de crear una atmósfera de cuidado y mimos: cantándole una canción, abrazándole y diciendo lo mucho que le quiere.

8. Estrés psicosocial del niño por el nacimiento de un hermano. En este caso no volvemos a poner el pañal porque el aprendizaje se ha establecido, aunque el niño ha sufrido una regresión. Será necesario que el niño encuentre su papel dentro de la familia: que ayude más en las tareas de casa, que encuentre ventajas por ser mayor... Haz algo con él a solas sin el hermano pequeño, como ir a por el pan; deja que haga cosas de mayores, como pedir la barra de pan al panadero y darle el dinero; reparte las funciones con tu pareja y que cada uno pase un cierto tiempo con cada hijo; no hagáis todas las cosas del día toda la familia junta; busca momentos de exclusividad para el mayor...

Como veis, en todos los casos de no control diurno que se producen tras haber abandonado el pañal (excepto en el primero, debido a una falta de maduración psicobiológica), es imprescindible que no se le vuelva a colocar, porque el niño lo vivirá como un fracaso absoluto. Es verdad que en todos los casos se tardará mucho más tiempo para que el niño permanezca seco sin escapes, ya que el aprendizaje por uno u otro motivos no se ha producido correctamente. Será necesario empezar de nuevo y con mucha más paciencia por el problema que suponen los continuos escapes.

Consolidando el paso 3

Este paso es muy útil para niños que veamos poco motivados o para madres/padres que estén inseguros de que su hijo lo vaya a conseguir en un tiempo y manera razonables. Es un instrumento de motivación extra que ayudará al niño a consolidar el aprendizaje de mantenerse seco todo el día y, además, a hacer pis solamente en el retrete/orinal.

El Tren SECO SECO

El día que deje el pañal le diremos al niño que cada día que pasa sin hacerse pis encima pegaremos una pegatina de un color en el vagón correspondiente o simplemente colorearemos el vagón. Después de diez días el Tren SECO SECO nos llevará a..., y elegimos un sitio donde, como premio, llevaremos al niño (el zoo o un día en la nieve o en el campo) porque ya no lleva pañal y además sabe hacerlo en el baño como los mayores.

¿Cuándo está preparado para el paso 4?
El paso 4 empieza antes de pasar al paso 3, puesto que la rutina de sentarle a hacer caca se hará al mismo tiempo que instauramos las rutinas de sentarse a hacer pis. Normalmente, lograr controlar las heces viene un tiempo después de haber quitado el pañal diurno.

1. Si el niño ya tiene la rutina establecida de varios momentos al día para ir al baño, hace muchas veces en el retrete/orinal y mantiene el pañal, en bastantes ocasiones seco, es el momento de quitar el pañal de día.

2. Para tomar la decisión hablaremos con la escuela infantil, si es que va, y tendremos en cuenta el momento y las circunstancias que rodean al niño.

3. Quitad el pañal un fin de semana que sepáis vais a poder permanecer en casa.

4. No existe el momento perfecto para quitar el pañal. Si siempre encuentras impedimentos, pregúntate si te asusta el momento, ya que lo puedes estar retrasando de forma inconsciente.

5. Excepción: si lleva varios meses sentándose con el hábito de muchos momentos del día bien establecidos y no ha hecho pis nunca, le quitaremos el pañal para forzarle a hacer en el retrete/orinal.

6. Si estáis pasando por un cambio en la familia que pueda producir algo de ansiedad en el niño o en vosotros, esperad un poco para quitar el pañal.

7. Si el niño espera un nuevo hermano se aconseja quitar el pañal antes de que nazca el bebé, siempre y cuando esté preparado.

8. Si acaba de nacer un hermano, aun cuando el hermano mayor esté ya preparado, esperad dos-tres-cuatro semanas a quitarle el pañal para que se adapte a la nueva situación.

9. Si el nuevo hermano o hermana tiene ya más de dos meses y aun teniendo celos el hermano mayor, se quitará el pañal al mayor si está preparado.

10. Si te acabas de mudar, espera una semana o dos a quitarle el pañal para estar más tranquilo/a.

11. El control de esfínteres es un proceso, por tanto, es normal que se produzcan escapes, es decir, que al principio el niño se haga pis encima y más frecuentemente caca. Lo excepcional es que una vez retirado el pañal no haya ninguno.

12. Los escapes no se consideran retrocesos mientras el aprendizaje no haya concluido.

13. Tras la retirada del pañal, los escapes en los primeros días serán muy frecuentes, unas cuatro o cinco veces al día, pero poco a poco irán disminuyendo.

14. A las dos semanas el niño controlará perfectamente (no se hará pis encima casi nunca) y hará voluntariamente en el retrete/orinal casi todas las veces que se le siente en los momentos de ir al baño establecidos (cada dos o tres horas).

15. Tiene que ser el adulto el que ponga al niño a hacer pis y NO ESPERAR A QUE ÉL SE ACUERDE y lo pida.

16. Si el niño se ha hecho pis o caca encima, no le debemos retar, humillar, ridiculizar o compararle con otros amigos o hermanos que ya han logrado el control de esfínteres antes o mejor que él.

17. En un tono normal y sin enfado, le explicaremos que lo tiene que hacer en el baño y que se acuerde de que no lleva pañal.
18. **NO VOLVER A PONER EL PAÑAL NUNCA,** aunque se produzcan numerosos escapes o situaciones especiales.
19. Hablamos de retrocesos en el caso de que el niño lleve varios meses controlando perfectamente y de pronto vuelve a hacerse pis o caca encima. En este caso tendremos que analizar las posibles causas de este retroceso y actuar sobre ellas.
20. Utiliza el Tren SECO SECO como motivación para conseguir el paso 3.
21. Controlar las heces empieza antes de pasar al paso tres, puesto que la rutina de sentarle a hacer caca se hará al mismo tiempo que instauramos las rutinas de sentarse a hacer pis.

Cuando el pis es un arma

En ocasiones, y tras un período de tiempo en el que el niño ya es capaz de controlar y mantenerse seco durante varias horas y, además, realiza la micción en el sitio correcto y cuando lo necesita, comienza a hacerse pis encima otra vez.

En este caso el niño usa el pis como arma, y el sitio en el que se produce la micción o lo que sucede previamente nos da las pistas sobre si es intencionado o no. En el caso de que sí lo sea, suele ser algo bastante evidente: por ejemplo, se hace pis en una alfombra cuando le acabas de regañar por otra cosa, se hace pis encima cada vez que amamantas al hermano...

El niño que todavía no controla su esfínter no puede usar el pis como arma porque todavía no tiene la capacidad para decidir cuándo y dónde quiere hacer pis, no puede hacer cuando se le antoje. Entonces no podemos hablar de utilizar la micción para un fin mientras el hábito no se haya adquirido por completo.

Si se da una regresión, es decir, el niño que ya tiene totalmente adquirido el control sobre su micción se vuelve a hacer sus necesidades encima, tenemos que averiguar el motivo de esta regresión y actuar sobre él.

En este caso no es un problema de aprendizaje, el niño ya controla desde hace tiempo y el proceso de aprendizaje ha finalizado con éxito.

¿Qué se debe hacer?

1. Regañarle como en cualquier otra conducta que sepamos es intencionada e intentar averiguar por qué lo ha hecho para poder actuar sobre el motivo. Si es por una situación de celos, deberíamos explicarle que le comprendemos pero que cada uno tiene su turno y que tiene que aprender a esperar, a la vez que le mostramos cariño. Tenemos que hacerle entender que tiene que pedir las cosas de otro modo y enseñarle cómo. No es bueno centrar la atención en la conducta de hacerse pis, sino en qué la provocó. Es importante tener paciencia y mostrarse compresivo/a, ya que el niño se hace pis encima por algún motivo y su conducta es la forma de expresar su sufrimiento, preocupación o ansiedad.
2. Analizar cómo ha sido tu comportamiento antes, durante y tras la micción intencionada, quizá encuentres por qué se ha producido: piensa si puedes cambiar algo de tu actitud.

Caso: Jesús

Jesús llevaba ya varios meses sin pañal y su control era completo. Casi no había tenido escapes y pronto se le pudo quitar sin problemas tanto el pañal de la siesta como el de la noche. Tras cuatro meses sin pañal, Jesús tuvo un hermano. Al principio pareció no afectarle, ya que trataba con mucho mimo al nuevo miembro de la familia, pero en cuanto se dio cuenta de que mamá tenía que estar mucho tiempo dándole de mamar y cambiándolo la cosa cambió. Jesús empezó a mostrarse irascible, llorando por cualquier motivo, volviéndose caprichoso. Un día, mientras su madre alimentaba al pequeño, se fue a su cuarto y, sacándose «la colita» fuera del pantalón, se hizo pis en la alfombra. Como vio que esto enfurecía a su madre y que gracias a ello conseguía su atención, comenzó a tener «escapes» cada vez que no la conseguía por métodos tradicionales.

Recomendamos a la madre que no prestara atención a estas provocaciones, le cambiara rápidamente y encontrara un hueco para Jesús; es decir, que le dedicase más tiempo a solas e intentase tenerle entretenido mientras se tenía que ocupar del bebé. Al poco tiempo los escapes desaparecieron.

Es importante que los dos miembros de la pareja estén de acuerdo

Es muy importante que los dos miembros de la pareja o las personas que vayan a hacerse cargo de aplicar el Programa de 5 pasos estén de acuerdo en cómo aplicarlo. De nada sirve que la madre esté esforzándose en crear una rutina si luego el padre dice que no hace falta poner tantas veces al niño a hacer pis. El niño será consciente de esta discrepancia y puede usarla a su favor cuando le interese.

Caso: Daniela

Daniela era la pequeña de cuatro hermanos y como tal era una superviviente. Desde pequeña había tenido que adaptarse a los planes y ritmo de los mayores. Era una niña autónoma que sabía comer sola, andaba largos ratos sin cansarse, se entretenía con cualquier cosa... Como eran muchos en casa, los momentos para dedicarle a ciertos temas eran escasos, la madre no tenía mucho tiempo para atender a Daniela, ni para jugar con ella. La niña intentaba acaparar la atención de su madre mediante la tozudez, mostrándose rebelde para todo. En muchas ocasiones conseguía que la madre se quedase con ella, para que «no montase el pollo». El padre tenía menos paciencia y prefería dejar el cuidado de Daniela a la madre. Gracias a su carácter obstinado, Daniela conseguía ratitos en los que tenía a su madre en exclusividad.

Llegó el momento del pañal y, como era de esperar, Daniela se resistía a sentarse. Los padres no dieron demasiada importancia a este hecho y muchas veces dejaron que se saliese con la suya. Al ser inconstantes a la hora de ponerle en el retrete, la niña aprendió que lo que tenía que hacer cada vez que le fueran a sentar en el retrete era ponerse «como un puma», y así lo evitaría. De esta forma conseguía tres cosas: no sentarse en el retrete (cosa que era nueva y no le hacía demasiada gracia), afianzar su personalidad y su poder, consiguiendo lo que quería y retando a los padres, y, tener la atención absoluta de su madre (que al final empezó a preocuparse por el tema y se pasaba largos ratos intentando convencer a la niña).

La hora de ir al cuarto de baño se convirtió en una batalla para la familia. Así, unas veces, y según el ánimo y las ganas de la madre, insistía mucho cambiando continuamente de táctica: le hablaba con cariño, le ofrecía premios, le amenazaba, le regañaba..., y otras directamente dejaba que se saliese con la suya. Además, como Daniela tenía el «problema» que tenía con sentarse, no podía ir a muchos sitios, y ¿quién era la que se quedaba con ella?: la madre.

Así se fue enquistando cada vez más el tema y, como con cualquier otra conducta en esta edad, la niña lo empezó a usar como arma: a veces le servía para que su madre le hiciese caso (aunque fuera para regañarle era mejor que le ignorase), otras para sentir que era poderosa y no la pequeñaja de la familia...

Algo que no ayudaba en absoluto era que cada vez que la madre iba a ponerle a hacer pis y la niña no quería, el padre decía: «dé-

jala, lo mismo no tiene ganas», quitando cualquier autoridad a la madre y haciéndole dudar.

Tras unos dos meses de lucha, la madre decidió quitar el pañal a Daniela, puesto que en poco tiempo comenzaría el colegio. Esta decisión fue una huida hacia delante, ya que no estaba preparada porque, aunque retenía mucho, los momentos de ir al baño no se habían establecido.

Daniela se podía pasar más de cuatro horas sin hacer pis, para, luego, hacérselo encima. Seguía sin dar su brazo a torcer y nunca se quería sentar en el retrete.

La madre estaba desesperada y se pasaba horas con Daniela entre convencer, sentar y limpiar a la niña tras los escapes, lo que afianzaba el problema. El padre seguía diciendo, aun pasadas cuatro horas, que lo mismo era que la niña no tenía ganas y que ella sola pediría hacer pis cuando las tuviese, como si de un adulto se tratase.

Le comunicamos a la madre que no podía quedarse sin hacer planes por este tema para Daniela, e implicamos al padre para que siguiese el programa tal y como le indicamos, respetando los momentos de ir al baño cada dos o tres horas.

Estuvieron muchos meses así, hasta que se consiguió establecer bien la rutina de sentarse.

Les aconsejamos, además, que ambos estuviesen más pendientes de Daniela en otras áreas y momentos que no tuviesen que ver con el cuarto de baño y el pañal.

Al final, y tras muchos meses de hacérselo encima, Daniela consiguió establecer una rutina de momentos de ir al baño, sentándose sin problemas. Comenzó a hacer pis cada vez más frecuentemente en el retrete y menos encima.

El colegio empezó, y, como era de esperar, sufrió un retroceso y los escapes volvieron. Además, el momento de ir al baño para hacer caca no estaba conseguido y todavía se lo hacía encima.

Al poco tiempo, la niña aprendió que la caca no se la podía hacer en el colegio, por las molestias y la vergüenza que le ocasionaba, y sólo se la hacía encima en casa.

Después de mucho esfuerzo y mucho sufrimiento por ambas partes, se consiguió que Daniela se sentase en el retrete, tanto para hacer caca como para hacer pis, y los escapes se acabaron.

Los padres aprendieron que es mucho mejor empeñarse y esforzarse antes de que a un niño se le quite el pañal, para crear una rutina de ir al baño y no esperar a que la cosa se complique más adelante. También entendieron la importancia de estar de acuerdo en las decisiones que tomaran.

La madre empezó a atender a la niña en otras áreas y el pañal dejó de ser el foco de atención para esta familia.

Paso 4. El control de las heces

Caso: Mercedes
Pautas para combatir el estreñimiento tras la retirada
   del pañal

La mayoría de los padres cree que controlar el pis es lo más difícil dentro del proceso de control de esfínteres y que lo de «la caca» ya vendrá solo. Muchos son los que se ven sorprendidos cuando su hijo se hace caca encima por primera vez y las reacciones a estos escapes son mucho más intensas. Limpiar a un niño que se ha hecho caca encima es doblemente engorroso.

Para todos, niños y adultos, es más difícil controlar dónde queremos hacer caca que dónde queremos hacer pis. Todos hacemos pis en cualquier sitio sin demasiadas complicaciones, como, por ejemplo, en el campo, o en un baño público, o de viaje y con prisas..., y esto no siempre ocurre con el tema del control de las heces.

Para poder controlar dónde y cuándo defecar, el esfínter tiene que estar más relajado, necesita más tiempo y unas condiciones óptimas. Esta conducta, por tanto, es mucho más sensible a sufrir cambios si las condiciones exteriores se alteran. Por ello, cuando las condiciones cambian y la rutina es otra, muchas personas se estriñen con facilidad: por ejemplo, cuando cambiamos de lugar por un viaje, si estamos fuera de casa en otro baño que no sea el nuestro, si pensamos que vamos a ser interrumpidos, si hacemos en otro sitio distinto al habitual... El control de esfínteres en este caso está mucho más íntimamente ligado a los estímulos a los que se condiciona.

El niño de 2 años que está habituado a hacer en el pañal, ya es capaz de saber cuándo tiene ganas y muchas veces elige un sitio o postura, o se esconde para hacerlo. A algunos niños les molesta el pañal una vez han hecho y nos indican que tienen caca. Sin embargo, y aunque el niño pueda pasarse sin hacer caca una vez retirado el pañal, no es capaz todavía de hacer en el retrete u orinal aunque se lo proponga y esté muy motivado para ello. Esto es porque no está condicionado a hacer en un sitio diferente que no sea el pañal y en unas condiciones adecuadas y, por tanto, no puede hacer en el retrete, aunque quiera. Tiene que pasar un tiempo hasta que el niño condicione el retrete como un sitio donde hacer caca.

Si el niño lleva sentándose varios meses en el retrete varias veces al día y alguna vez ha conseguido hacer caca en él, es probable que cuando retiremos el pañal se haga encima alguna vez, pero enseguida aprenderá a hacer en el cuarto de baño.

Sin embargo, si el tiempo que llevamos sentándole en el retrete es muy poco o, aunque sean muchos meses, sólo se le ha sentado una o dos veces al día, o aunque se le haya sentado mucho, nunca ha logrado hacer caca, lo más probable es que al retirar el pañal el control de las heces tarde más tiempo en adquirirse.

Pueden pasar dos cosas: que el niño se lo haga encima a menudo o que retenga mucho y se pase días sin hacer y se estriña.

IMPORTANTE

Después de retirar el pañal muchos niños se estriñen porque no están habituados a hacer en el retrete. Ayúdales a habituarse creando antes una rutina.

Imaginemos que vamos a un país en el que sólo se puede hacer caca en un agujero en el suelo. Probablemente, a la mayoría nos ocurriría que nos estreñiríamos hasta acostumbrarnos. Sin embargo, si estuviésemos en casa haciendo en nuestro baño y de vez en cuando, poco a poco y en las horas en las que estamos habituados a ir al baño, intentásemos hacer en un agujero..., probablemente los primeros días no lo consiguiésemos, pero evitaríamos el problema del estreñimiento.

> El niño necesita estar habituado al retrete u orinal para conseguir hacer caca en él.

El estreñimiento no ayuda al control de las heces. El niño tendrá ganas de hacer, pero al sentarse notará que le cuesta, le duele y entonces inhibirá las ganas. Si al final consigue hacer, pero con dolor, **acabará asociando hacer caca con dolor,** y entonces seguirá no queriendo hacer y se aguantará, lo que agravará el problema del estreñimiento. Si tiene este problema, no deberíamos dejar que pase más de día y medio sin que el niño haga caca. Es preferible que le ayudemos con un supositorio o enema, que expulsará rápidamente (siempre en el retrete u orinal) para que no asocie dolor con hacer caca y sí asocie hacer caca con retrete u orinal.

Tampoco tenemos que cometer el error de ponerle al niño los pañales cada vez que tenga ganas de hacer caca, porque no aprenderá a hacer en el baño, y tenemos que aprovechar que está aprendiendo a hacer pis.

Lo que ayudará al niño a habituarse es, aparte de ponerle durante un tiempo antes de quitar el pañal..., **sentarle en la hora que sabemos que suele hacer caca.** El esfínter está más relajado después de una noche de sueño y tras haber desayunado, puesto que el reflejo del esfínter está condicionado al estímulo de comer. Al comer, el esfínter se relaja y entonces tenemos más ganas, los movimientos peristálticos del intestino después de comer se ven favorecidos.

Por esto, **el mejor momento para poner a un niño a hacer caca es después de desayunar.** Para los adultos también, pero lo inhibimos porque normalmente tenemos prisa a esas horas. Sin embargo, todos podemos reeducarnos en este sentido. Al final, el cuerpo funciona como un reloj si le acostumbras a una rutina.

Si todos los días le sientas un rato después de desayunar, no inferior a cinco-diez minutos ni superior a quince-veinte, llegará un día que hacer caca después de desayunar será un hábito y todos los días lo hará y tardará menos de cinco minutos.

Como todo, hay que ir aumentando poco a poco el tiempo que se le sienta para que el niño se vaya acostumbrando y, por supuesto, las primeras veces no hará nada, como con el pis. **Hay que tener en cuenta que es mucho mejor enseñar esto antes de quitar el pañal, porque así evitamos dos cosas: los escapes continuos y el posible estreñimiento.**

Hay niños que están acostumbrados a ir al baño después de comer; esto no resulta ningún problema mientras no vayan a comer al cole.

En el cole lo más probable es que el niño se aguante hasta la hora de llegar a casa. Si aun así no hay problema de estreñimiento, no pasa nada por seguir de esta manera, haciendo caca en el cole después de comer.

Si por esta causa sí hay estreñimiento, lo que intentaremos será reeducar la hora de ir al baño por la mañana.

Aunque ésta es su hora mejor, muchos niños no van por la mañana porque hay poco tiempo para llegar pronto al cole y se van aguantando durante todo el día. Incluso es común que vayan dos veces al día porque hacen un poco y luego otro poco... y ya no les resulta tan fácil porque se han estado aguantando.

Es importante que tengan un momento del día en el que estén tranquilos y puedan ir sin problema y sin haber estado antes aguantando durante tiempo, así evitaremos estreñimientos y dificultades.

Caso: Mercedes

Mercedes era una niña de cuatro años y medio que llevaba desde los dos años y medio sin pañal. Aun así, nos contaba su madre que antes de retirarle el pañal de la noche Mercedes se había acostumbrado a hacer caca antes de dormir, lo que retrasaba el momento de ir a la cama.

Después de un tiempo, tras el que ya no mojaba la cama de noche, su madre decidió que estaba preparada para retirar el pañal definitivamente. Sin embargo, cada noche Mercedes pedía el pañal antes de dormir para hacer caca en él, y su madre se lo ponía.

Durante varios años estuvo la niña haciendo caca de esta manera. En general, en casa mandaba ella y si no quería sentarse en el retrete a hacer caca, su madre se sentía incapaz de oponerse; el tema del control de heces no era un problema aislado.

Cuando pasó a primero de infantil, la madre solicitó al centro que le pusieran el pañal para hacer caca si la niña lo necesitaba. El centro no lo admitió y hubo días que la niña se lo hizo encima. Como consecuencia de esto, Mercedes empezó a retener las heces todo lo que pudo y se produjo un estreñimiento importante.

Para la madre de Mercedes el tema del control de las heces se convirtió en una obsesión, no hacía más que intentar sentarla a todas horas. A veces le premiaba por estar sentada, otras le amenazaba o regañaba para que se sentase... Todos los días preguntaba insistentemente en el cole si su hija había hecho caca o no.

La niña cogió miedo a sentarse porque le dolía y el estreñimiento empezó a ser más grave, hasta el punto de tener que ir varias veces a urgencias.

Mi consejo fue no dejar pasar un día sin que Mercedes fuese al baño, que si no hacía se le pusiese un supositorio después de desayunar e inmediatamente después se sentase en el retrete. Se pretendió que la niña tuviese una rutina de ir al baño después de desayunar todos los días durante diez minutos.

Se le aconsejó a la madre que no presionase a Mercedes para que hiciese caca, pero sí que la entretuviese para que se mantuviese sentada, diciéndole que si no podía hacer que no se preocupase, que ya saldría, y que tuviese paciencia y no mostrase a la niña su preocupación, que estableciese la rutina diaria y no volviese a poner nunca más el pañal, y se le aconsejó que si la niña no se quería sentar en el retrete no se lo permitiese, igual que no le permitía salir en invierno sin abrigo.

Tras unas semanas, Mercedes consiguió establecer una rutina para ir al baño, y nunca más se hizo encima ni pidió el pañal. Para ella y para su madre el tema del control de esfínteres dejó de ser un problema en casa y en el cole.

Trucos para conseguir el paso 4. Controlar las heces
1. Siéntale a la hora que sabes que suele hacer caca.
2. El mejor momento para poner a un niño a hacer caca es después de desayunar.
3. Después de desayunar siéntale un rato, no inferior a cinco-diez minutos ni superior a quince-veinte.
4. No hay problema si al principio no hace nada, lo importante es establecer la rutina.
5. Ve aumentando el tiempo en el que se mantiene sentado/a.
6. Está con él/ella en el baño y entretenle con algo.
7. Si hace falta, dile que le darás un masaje en la tripa para que salga más fácil.
8. Nunca le pongas el pañal para que haga caca en él si ya no lo lleva, es preferible que se lo haga encima.
9. Si se lo está haciendo encima, no le interrumpas, pues se le cortará.
10. Si se estriñe, no le dejes más de un día y medio sin hacer: ayúdale cambiando su dieta y, si es necesario, con un supositorio.
11. Si el estreñimiento es continuo, acude al pediatra para que lo solucione de inmediato.

Aproximadamente unos quince días después de quitar el pañal de día el niño empieza a estar preparado para quitar el pañal en la siesta, y tras otros quince días, el de la noche. El pañal de la noche se quita aproximadamente un mes o mes y medio después del diurno.

Pautas para combatir el estreñimiento tras la retirada del pañal

1. Acudir al pediatra y descartar cualquier problema físico.
2. Crear la rutina de sentarse todos los días después de desayunar: al principio serán dos minutos y se irá progresivamente aumentando el tiempo, entreteniendo al niño/a, acompañándole al principio y dejándole solo cuando se acostumbre:

- Lo importante al comienzo no es que haga caca, sino que se cree la rutina. Aunque no haga caca, al poco tiempo se le levanta.
- Si el niño está acostumbrado a hacer después de comer, hay que intentar crear la rutina a esa hora.
- Si el niño está muy estreñido y le duele, no hay que sentarle sin poner un enema o supositorio, para que no condicione el dolor al momento de sentarse.
- Si le sientas todos los días un ratito después de comer, se regularizará y hará sin problema, pero durante un tiempo, hasta que él mismo vaya solo; tienes que estar pendiente de que esto se cumple y que se sigue sentando todos los días.
- Si el niño alega que no tiene ganas, le dices que no importa, que se quede sentado un rato, que ya saldrá y que aunque no salga no pasa nada, pero que se mantenga sentado unos diez minutos.

- Enséñale que si aprieta un poquito la caca ésta sale mejor (siempre que no esté estreñido, para que no le duela).

3. No dejar que pase más de un día sin hacer caca, porque entonces se endurecerá y dolerá:

   - Si ha ocurrido esto, le ponemos un supositorio, esperamos un ratito y le sentamos para que haga en el retrete: puedes darle un masajito mientras tanto, a la vez que cantas algo, para que, mágicamente, la caca salga.
   - Intenta tranquilizar al niño y no le dejes que se levante sin hacer en el retrete.
   - Con un niño estreñido hay que estar pendiente todos los días de si ha hecho o no, y no dejar pasar más de un día sin que haga.

4. Aunque estés pendiente, no hay que comunicárselo al niño ni preguntarle ni hablarle sobre el tema, para que no note la ansiedad que te genera. El niño tiene que verte con seguridad, con confianza, sabiendo que lo conseguirá y que tú le vas a ayudar porque estás pendiente del tema, pero sin obsesionarte.

5. Cuida la alimentación de tu hijo si está estreñido, hasta que se regularice:

   - Dale más fruta y verdura de lo habitual.
   - Restringe proteínas: si en la comida ha tomado proteínas, no se las des en la cena, dale hidratos de carbono, legumbres o verduras. La merienda y los postres serán a base de fruta en lugar de lácteos (que también son proteínas).
   - Dale pan, pasta, arroz y cereales integrales.
   - Que beba bastantes líquidos.
   - Que ingiera una dieta variada: al menos una vez a la semana legumbres, arroz y pasta integral.

RESUMEN

1. Es más difícil controlar las heces que la orina.
2. Para poder controlar dónde y cuándo defecar, el esfínter tiene que estar más relajado, necesita más tiempo y unas condiciones óptimas.
3. El control de las heces está mucho más íntimamente ligado a los estímulos a los que se condiciona.
4. Cuando las condiciones cambian y la rutina es otra, muchas personas se estriñen con facilidad.
5. Si antes de retirar el pañal el niño no ha conseguido hacer nunca en el retrete/orinal, será más complicado que lo consiga una vez retirado, por eso tenemos que intentar establecer la rutina de hacer caca en el retrete antes de retirar el pañal.
6. Antes de quitar el pañal..., sentarle a la hora que sabemos suele hacer caca; el mejor momento para sentarle es después de desayunar.
7. Después de desayunar siéntale todos los días un rato, no inferior a cinco-diez minutos ni superior a quince-veinte, antes de retirar el pañal de día.
8. Hay que ir aumentando el tiempo que se le sienta poco a poco para que el niño se vaya acostumbrando. Las primeras veces no hará nada, como con el pis.
9. Es importante que tenga un momento del día en el que esté tranquilo y pueda ir sin problema y sin haber estado antes aguantando durante tiempo, así evitaremos estreñimientos y dificultades.
10. Si el niño se estriñe, acabará asociando hacer caca con dolor, por eso no deberíamos dejar que pase más de día y medio sin que el niño haga caca.
11. Una vez retirado el pañal, no debemos poner al niño los pañales cada vez que tenga ganas de hacer caca, porque no aprenderá a hacer en el baño.
12. Aproximadamente unos quince días después de quitar el pañal de día empieza a estar preparado para quitar el pañal en la siesta, y tras otros quince días, el de la noche. El pañal de la noche se quita aproximadamente un mes o mes y medio después que el diurno.

Paso 5. Control en la siesta y nocturno

Caso: María

Incentivar al niño que no se levanta a hacer pis solo
   Caso: Rubén

Qué pasa si decides esperar y no quitar el pañal
   nocturno

Consolidando el paso 5. El control nocturno
   El Tren SECO SECO

Proceso que siguen los niños para el control de
   esfínteres durante la aplicación del Programa en
   5 pasos

La menor producción de orina durante la noche y el hecho de que la vejiga pueda almacenar una mayor cantidad sin que se produzcan las contracciones de la micción hacen posible el control nocturno del pis.

Muchos padres creen que el control de esfínteres nocturno es mucho más tardío que el diurno. Realmente no es así, el control inhibitorio diurno se transfiere a las horas de sueño. Los centros corticales detectan las contracciones del detrusor e inhiben la relajación del esfínter.

Cuando un niño comienza a retener, lo hace en todos los momentos. Debemos aprovechar esta ventaja para enseñarle a controlar también en la siesta y por la noche. Si no aprovechamos «el tirón», el niño empezará a hacerse de una forma consciente y voluntaria, sabiendo que tiene el pañal puesto. El pañal, entonces, será más difícil de retirar.

Realmente, a diferencia de lo que se piensa popularmente, el control nocturno no depende tanto de la carga hereditaria de cada niño. Podemos ver con frecuencia que miembros de la misma familia, aun siendo muy diferentes en otros aspectos, comparten su falta de control nocturno. ¿No podríamos pensar que el aprendizaje que sus padres les han facilitado del control nocturno de esfínteres es el mismo en todos sus hijos y que es esto, y no un factor hereditario, lo que tiene más peso específico?

Al tener la sensación de llenado de la vejiga por la noche el niño deberá **inhibir la micción, despertarse y ser capaz de levantarse al baño** a hacer pis. En el caso de que la micción se produzca, el niño deberá ser **capaz de frenarla inmediatamente,** despertarse y levantarse para hacer pis donde corresponde.

Si la presión vesical excede los niveles de ajuste del músculo detrusor, las sensaciones de llenado despertarán al niño antes de que se dispare el reflejo de micción. Hay que tener en cuenta, no obstante, que muchos niños no necesitan levantarse a hacer pis porque aguantan toda la noche y otros no son capaces de levantarse por sí mismos.

Lo que más frecuentemente tiene un factor hereditario claro es la capacidad de cada niño para despertarse ante la sensación de llenado de su vejiga. Mientras que hay niños que se despiertan fácilmente y sin problemas acuden al baño solos cuando sienten la necesidad de orinar, otros no son capaces de despertarse. Estos últimos suelen ser niños que duermen muy profundamente y no se suelen despertarse por nada, niños que suelen ser dormilones y que no han tenido ningún problema de sueño.

En cuanto a la variabilidad en la capacidad vesical de cada niño, no todos tienen la misma capacidad para retener, pero también es cierto que se puede entrenar a un niño para que aumente la capacidad de su vejiga.

A los 2 años, casi todos los niños aguantan con facilidad ocho horas sin hacer pis. Teniendo en cuenta que el niño de 2 años suele dormir unas diez-once horas, deberíamos enseñar a levantarse cuando sienta las ganas de orinar, para, así, evitar que moje la cama.

El control de esfínteres en la siesta es previo al nocturno.

Lo más habitual es que cuando se quita el pañal diurno el niño, tras dos o tres semanas, si no antes, comience a aparecer seco tras alguna siesta. **Tras seis o siete días en los que aparezca seco el pañal después de la siesta,** y siempre que antes de dormir le hayamos puesto a hacer pis, podremos retirar el pañal y **no volvérselo a poner nunca.** Si el niño se vuelve a hacer pis algún día o en temporadas, no volveremos a colocarle el pañal y lo tomaremos como un escape normal dentro del proceso de aprendizaje, tal y como ocurre en el aprendizaje diurno.

IMPORTANTE

Tras seis o siete días en los que aparezca seco el pañal después de la siesta, y siempre que antes de dormir le hayamos puesto a hacer pis, podremos retirar el pañal y no volvérselo a poner nunca.

Pasado el aprendizaje de la siesta el niño empezará a estar preparado para abandonar el pañal nocturno.

Previamente a la retirada del pañal nocturno, debemos **comprobar si aguanta ocho horas seco.**

Para comprobar si el niño es capaz de aguantar más ocho horas, la forma de proceder es la siguiente:

1. Pon al niño a hacer pis justo antes de que se acueste y colócale el pañal. Es útil que en este momento cambies los pañales tradicionales por los que son de braguita, para que puedas subírselo y bajárselo con facilidad.
2. Despierta al niño dos o tres horas después de haberse acostado, si puede ser que coincida con el momento en el que os vayáis los padres a dormir.
3. Llévale al baño y bájale el pañal.

4. Siéntale mientras le dices que haga pis. Si el niño se niega, insiste diciendo que si hace se irá corriendo a dormir de nuevo.
5. Vuelve a ponerle el pañal. Si ves que el pañal ya está mojado, le pones uno seco.

Pasados unos días empezará a amanecer con el pañal seco, entonces hay que proceder de la misma forma que con el aprendizaje de la siesta: **si en seis-siete días consecutivos el pañal amanece seco, es que ya está preparado para abandonarlo del todo.**

Aquí volvemos a proceder igual que en la siesta; aunque haya escapes de un día o varios seguidos, **no le volveremos a poner el pañal nunca más.** Si el niño ha aguantado siete noches seco es que ya está preparado para quitarle el pañal nocturno.

En este tiempo no debes dejar que tome demasiado líquido en la cena ni mucha agua después de cenar. Si, por error, ha tomado mucho líquido en la cena, hay que ponerle a hacer pis un poco antes de las tres horas tras acostarse, incluso más veces. Es importante que no tomen sopas, caldos, purés o cosas muy saladas, como jamón serrano, a la hora de la cena. Al principio necesitamos saber si el niño puede aguantar una cantidad normal de líquido y además todavía no está muy habituado a levantarse.

Si el niño está tomando un biberón de leche antes de dormir, éste debería retirarse antes de empezar con el aprendizaje del control nocturno. Los niños de 2 años ya no necesitan tanta leche diaria porque el calcio que precisan está en otros alimentos como legumbres, yogures, quesos... Lo mismo ocurre con los biberones nocturnos o los vasos de agua. El niño no debería estar tomando líquidos por la noche si queremos que no moje la cama, y tampoco necesita de ellos. Si un niño pide varias veces agua por la noche (a excepción del verano), no es porque tenga sed o porque necesite beber líquido, lo que está demandando es ver a sus padres o no estar solo. Un niño de esta edad no se deshidrata por no beber nada durante diez u once horas seguidas. Si tú no necesitas beber agua por la noche nada más que de vez en cuando, dependiendo de lo que hayas cenado y del calor que haga..., tu hijo/a tampoco tendrá esa necesidad.

La mayoría de veces, tomar un biberón antes de dormir, ya sea de agua o de leche..., es una cuestión de hábito a la hora del sueño. El niño ha asociado el sueño al biberón, y para que deje de asociarlo, bastará con quitárselo e intentar que coja un muñeco o mantita en sustitución. Puede que pase dos o tres noches pidiéndolo, pero si nota que no lo conseguirá y puede dormirse sin él, en unos días se olvidará.

Caso: María

María era una niña de 23 meses que se le acababa de quitar el pañal. Era la pequeña de tres hermanos. Su madre ya sabía cómo era el proceso de quitar el pañal y la empezó a sentar a los 18 meses. Por este motivo, a los 23 meses estaba más que preparada para estar sin pañal. El primer día se lo hizo tres veces encima porque los padres fueron de excursión y la niña no sabía hacer al aire libre. El segundo día los padres fueron en coche en un viaje de dos horas y decidieron llevar el orinal y sentar a María a medio camino, la niña no se mojó ese día. A la semana, el control era total y comenzó a no mojar en la siesta. Una semana después el pañal de la siesta estaba fuera y los padres comenzaron a levantarla a las 12 de la noche para que hiciera pis. No había manera, María no hacía más que gritar que no quería. Los padres optaron por dejarla y, sorprendentemente, empezó a no mojar por

las noches. Al poco tiempo decidieron quitar el pañal de noche por-
que no sólo no mojaba la cuna, sino que llamaba a sus padres si
sentía la necesidad de hacer pis por la noche. María nunca mojó
la cama y nunca necesitó que sus padres la levantasen a hacer pis
por la noche, ella sola se levantaba y lo pedía.

Una vez retirado el pañal es importante **advertir al niño que si tienen ganas de ir al baño debe ir siempre que lo necesite y no debe aguantarse o hacérselo encima,** y también que puede avisar para que le acompañes si no quiere ir solo. Para ello vendrá a tu cuarto y te avisará. Tiene que saber que no te molestará y que le acompañarás sin problema, ya que los niños suelen temer ir solos o temen la reacción de sus padres si les despiertan por la noche.

Hay muchos niños que nunca se despiertan por la noche para nada y tampoco lo harán para hacer pis. Son niños que duermen tan profundo que ni oyen ruidos por la noche aunque les pase un tren por encima. Estos niños, seguramente, necesitarán llegar a aguantar toda la noche sin levantarse o, mejor, un aprendizaje para levantarse cuando sientan la vejiga llena.

> Una vez que el niño lleve unas semanas sin el pañal nocturno, se puede dejar de levantarle y de restringir los líquidos para que aprenda a levantarse cuando su vejiga esté llena y aumente la capacidad vesical.

Algunos padres optan por restringir los líquidos durante toda la tarde-noche y otros les levantan varias veces por la noche. Si su vejiga no se llena, no se hará pis encima, pero nunca aprenderá a controlar voluntariamente el reflejo de orinar y el problema se mantendrá en el tiempo. Por otro lado, si levantamos al niño varias veces durante la noche, es probable que consigamos que no moje la cama, pero seguirá sin aprender que ante las sensaciones de vejiga llena se debe levantar, además del problema de sueño que provoca esto en el niño como en los padres.

El proceso de aprendizaje nocturno es muy largo, pudiendo durar un año o año y medio hasta que el niño logre controlar perfectamente toda la noche y todas las noches sin que se produzca ni un solo escape. Por ello es común que los escapes se den de vez en cuando, incluso que tenga temporadas en las que moje la cama tres o cuatro noches seguidas.

RECUERDA

1. El control inhibitorio diurno se transfiere a las horas de sueño, por eso debemos aprovechar esta ventaja para enseñarle a controlar también en la siesta y por la noche.
2. A diferencia de lo que se piensa popularmente, el control nocturno no depende tanto de la carga hereditaria de cada niño.
3. Al tener la sensación de llenado de la vejiga, el niño deberá inhibir la micción por la noche, despertarse y ser capaz de levantarse al baño a hacer pis.
4. En el caso de que la micción se produzca, el niño deberá ser capaz de frenarla inmediatamente, despertarse y levantarse para hacer pis donde corresponde.
5. Lo que más frecuentemente tiene un factor hereditario claro es la capacidad de cada niño para despertarse ante la sensación de llenado de su vejiga.
6. La variabilidad en la capacidad vesical es diferente en cada niño.
7. El control de esfínteres en la siesta es previo al nocturno.
8. Tras seis o siete días en los que aparezca seco el pañal tras la siesta, y siempre que antes de dormir le hayamos puesto a hacer pis, podremos retirar el pañal y no volvérselo a poner nunca.
9. Pasado el aprendizaje de la siesta, el niño empezará a estar preparado para abandonar el pañal nocturno.
10. Previamente a la retirada del pañal nocturno debemos comprobar si aguanta ocho horas seco; para ello lo mejor es levantarle a hacer pis dos o tres horas después de haberse acostado.
11. Mientras compruebas si puedes quitarle el pañal o no, no debes dejar que tome demasiado líquido en la cena ni mucha agua después de cenar.

Incentivar al niño que no se levanta a hacer pis solo

Tras haber retirado el pañal de noche hay que enseñar al niño que no se levanta solo a hacerlo ante la necesidad de hacer pis. Una buena ayuda para incentivarle a la hora de levantarse es idear un **sistema de puntos.**

Se ponen en una hoja los días de la semana y se cuelga en una pared visible y accesible para el niño. Se marca con una pegatina verde si el niño no ha hecho pis en toda la noche y con una azul si se ha levantado a hacerlo alguna vez él solo sin que tú le avises (aunque haya necesitado que le acompañes).

Si se levanta ese día, tendrá un premio pequeño: unos cromos, una golosina..., y si consigue levantarse tres veces en la semana y no hacerse ninguna vez encima, tendrá un premio más grande al final de la semana, como hacer algo en familia (por ejemplo ir al zoo). Veréis que lo que más le interesa al niño es poner la pegatina cada mañana y conseguir las pegatinas azules, que serán un premio en sí, a veces más importante que el premio material.

Días	Lunes	Martes	Miércoles	Jueves	Viernes	Sábado	Domingo
Se levanta a hacer pis solo.	● (gris)				● (gris)		
Negro: moja la cama. Gris: no moja la cama.	○ (gris)	● (negro)	○ (gris)	○ (gris)	● (negro)	○ (gris)	● (negro)
Premios	Cromos	Nada	Nada	Nada	Nada	Nada	Nada

Caso: Rubén

Rubén empezó el Programa en 5 pasos a los 18 meses y a los 2 años recién cumplidos estaba preparado para estar sin pañal diurno. A las dos semanas se le quitó el de la siesta y al mes el nocturno.

Rubén aguantaba muchas horas por el día sin hacer pis, pero por la noche su resistencia era mínima. Si un día tomaba puré o sopa para cenar o bebía más agua de la cuenta, se lo hacía encima y dormía tan profundamente que nunca se levantaba solo. Muchas mañanas amanecía lleno de pis y muerto de frío, lo que conllevaba catarros continuos. Sus padres le levantaban todas las noches sobre las doce a hacer pis. Rubén estaba siempre tan dormido que casi había que sujetarle para que no se cayese, y a la mañana siguiente nunca se acordaba de haberse levantado. Aun así, y a pesar de que varias veces se seguía haciendo pis por la noche, los padres decidieron no volverle a poner el pañal.

Su actitud fue importante en el proceso, puesto que Rubén lo pasaba mal y no le gustaba hacerse pis encima, decía que él intentaba levantarse para hacer pis y que no se daba cuenta. Estuvieron hasta los 5 años, en los que Rubén mojaba la cama de forma esporádica, con una frecuencia de una a dos veces al mes.

A los cinco años vinieron a consulta. Al principio estuvimos unos meses haciendo un registro de qué había pasado durante ese mes que pudiera estar perturbando a Rubén, qué había comido y bebido las noches que se hacía pis, qué horarios había seguido o si estaba muy cansado o no. No vimos que existiese un patrón determinado. Empezamos un sistema de puntos para reforzar la conducta de levantarse solo para ir al baño. Enseguida, Rubén empezó a estar motivado, conseguir la pegatina era un triunfo para él. Al principio no conseguía levantarse, pero pasadas unas semanas, una noche se levantó solo, era la primera noche de su vida que el niño se levantaba para algo. Anteriormente, ni noches de fiebre, ni despertares de sus hermanos ni nada había conseguido despertar a Rubén. A partir de ahí, cada vez que sentía la necesidad, aproximadamente una o dos veces por semana, Rubén se levantaba a hacer pis solo y el resto de las noches las aguantaba enteras sin mojar la cama.

Pasado un tiempo, Rubén volvió a relajarse con el tema y se aplicó otra vez el sistema de puntos para que estuviese alerta y consiguiese levantarse a hacer pis siempre que lo necesitara.

Qué pasa si decides esperar y no quitar el pañal nocturno

Algunos padres creen que el tema del pañal nocturno viene mucho más tarde que el del diurno. No se preocupan de si el niño está preparado o no y ven mucho más cómodo que siga usando pañales a la hora de dormir.

Como consecuencia de esto, el niño sigue usando los pañales después de que realiza de forma consciente la micción. Tras abandonar el pañal diurno, si el niño sigue llevando pañales por la noche, empezará a hacerse pis en la cama ya no de forma automática y refleja, sino porque sabe que lleva el pañal...

Como en el caso del pañal diurno, es la retirada del pañal lo que facilita el aprendizaje. El niño se levanta a hacer pis al baño y deja de hacerse pis encima porque no lleva pañal y no quiere mojarse, y no al revés. Si le dejamos el pañal puesto, el niño no tendrá ninguna necesidad de levantarse y se lo seguirá haciendo encima, y a medida que pase el tiempo, la decisión de hacérselo encima o en el baño será cada vez más voluntaria.

No es que el niño deje de hacerse pis todas las noches y nunca moje la cama para después quitárselo. Necesitamos quitarle el pañal para que el niño entienda y recuerde que ya no lo lleva y deje de hacerlo, y no al revés. Si durante una semana puede estar sin mojar la cama por la noche, es que puede todas las noches. Para ello empezaremos con el período de comprobación, levantándole para que vaya al baño unas tres horas después de haberse acostado. Si le dejamos el pañal nocturno y no hacemos nada para quitárselo, la mayoría de los días amanecerá el pañal lleno de pis, porque el niño sabe que lo lleva, le resulta más cómodo. No aprenderá que la sensación de vejiga llena no debe ser signo de evacuar, sino de retener y levantarse para hacer en el cuarto de baño.

Si esperamos a los 4 años para enseñar a un niño a no mojar la cama por la noche, cuando le hemos quitado el pañal diurno a los 2, llevará dos años haciéndose pis encima sabiendo que lleva el pañal: ¿no será mucho más difícil entonces que recuerde que no lo lleva, y ante la sensación de llenado de la vejiga se levante?

Es muy habitual encontrarme padres que después de que su hijo abandonase el pañal diurno a los 2 o 3 años acuden a la consulta dos años después porque no consiguen, de ninguna manera, que su hijo deje de hacerse pis encima. Además, a los 4 o 5 años la cantidad de orina que evacúan por la noche no es igual que con 2, lo que agrava el problema de cambio de sábanas.

Consolidando el paso 5. El control nocturno

En este paso, y para niños que veamos poco motivados, o para madres/padres que están inseguros de que su hijo lo vaya a conseguir en un tiempo y manera razonables, es muy útil un instrumento de motivación extra que ayudará al niño a consolidar el aprendizaje de mantenerse seco toda la noche.

El Tren SECO SECO

El día que le quitemos el pañal de noche le diremos al niño que si amanece seco al día siguiente, pegaremos juntos una pegatina de un color en el vagón correspondiente. Después de quince días seguidos sin hacerse pis en la cama, el Tren SECO SECO nos llevará a..., y elegimos un sitio donde, como premio, llevaremos al niño (por ejemplo, al zoo, o un día a la nieve o al campo), porque ya no lleva pañal por las noches, como los «mayores».

Trucos para conseguir el paso 5. Quitar el pañal nocturno

1. Ponerle por la noche pañales de braguita. Antes de retirar el pañal por completo, y durante el proceso de aprendizaje, tanto del control diurno como del nocturno, es interesante cambiar los pañales normales por uno de braguita, que se puede bajar y subir con facilidad y agiliza el momento de ir al baño.

2. También sería bueno no usar pijamas mantas, que dificultan el momento de ir al baño, así como *bodys;* es mejor pasar ya a las camisetas interiores.

3. Ponerle a hacer pis antes de ir a la cama y dos o tres horas después: esto lo vamos a hacer al principio para, primero, saber si el niño está preparado y, segundo, motivar al niño para conseguir estar sin pañal, ya que si fracasa muy al principio del aprendizaje se frustrará demasiado.

4. Muchos niños beben un poco antes de dormir y aprenden a pedir varias veces agua como forma de retrasar el momento de irse a la cama. No se lo permitas, pues dificultará el aprendizaje del control nocturno. Le adviertes que una vez, y ya está.

5. Quítale el pañal cuando notes que varias mañanas (unas cinco o seis) se levanta con el pañal seco tras ocho horas sin que tú le hayas levantado.

6. Ten paciencia y compra varios juegos de sábanas y cubre-colchones porque los escapes en el control nocturno son más frecuentes.

7. Aplica un sistema de puntos para motivarle a levantarse a hacer pis.

8. Utiliza el Tren SECO SECO para consolidar que se mantenga seco por la noche.

Proceso que siguen los niños para el control de esfínteres durante la aplicación del Programa en 5 pasos

1. Hace pis y caca solo en el pañal.
2. Conoce que existe otro sitio para hacer pis.
3. Se sienta una vez al día en el retrete, pero siempre lo hace en el pañal.
4. Como rutina, se sienta varias veces al día en el retrete y alguna vez lo hace en él, pero sigue haciendo pis y caca en el pañal.
5. Cada vez son más numerosas las veces que hace pis en el retrete, pero siempre aparece el pañal húmedo.
6. Hace pis casi siempre en el retrete y también pis y caca en el pañal.
7. Empieza a estar el pañal seco alguna vez más.
8. Aguanta cada vez más con el pañal seco porque la mayoría de las veces hace pis en el retrete/orinal.
9. Casi siempre que le sentamos en el retrete en los momentos establecidos para ir al baño hace pis.
10. Creamos una rutina para sentarle en un momento del día para hacer caca pero no hace nada.
11. Le quitamos el pañal diurno y se hace encima la caca y el pis, y también en el retrete. Todavía no lo pide y estamos pendientes de ponerle cada dos horas coincidiendo con los «momentos de ir al baño».
12. Controla bastante bien el pis, aunque no lo pide, y ya no se lo hace casi nunca encima. Seguimos poniéndole siguiendo la rutina creada.
13. Le cogemos «su hora» de hacer caca y empieza a hacerlo en el retrete.
14. Tras dos-tres semanas sin pañal diurno empieza a no hacerse pis en la siesta.
15. Tras seis-siete días sin pañal en la siesta le quitamos el pañal diurno para siempre y mantenemos el pañal nocturno.
16. Tras dos semanas, sin el pañal de la siesta empezamos a levantar al niño a hacer pis dos o tres horas después de acostarle con el pañal.
17. El niño amanece alguna algún día con el pañal seco, y la mayoría con el pañal mojado.
18. Tras seis o siete días consecutivos en los que no ha mojado el pañal por la noche, le quitamos el pañal nocturno y no se lo volvemos a poner.
19. El niño sigue teniendo algún escape nocturno de forma esporádica.
20. Tras unas semanas comienza a levantarse a hacer pis solo y ya no moja la cama, salvo en contadas excepciones.
21. Por el día hace siempre caca y pis en el retrete y lo empieza a pedir, pero seguimos pendientes de ponerle cada cierto tiempo, aunque éste es cada vez más largo.
22. Tras mucho tiempo controlando sin pañal, sabe cuándo necesita ir al baño y lo pide. Dejamos de estar pendientes (3 años) y esperamos

a que sea él el que nos lo pida, aunque siempre estamos pendientes de si lleva mucho tiempo sin hacer pis.

23. Tras mucho tiempo controlando el pis nocturno ya no tiene escapes y siempre que tiene ganas se levanta al baño.

El programa paso a paso

1. Toma de contacto: busca un momento del día en el que sentarle; el mejor momento es antes del baño. Establece la rutina y no te preocupes de que haga pis o no.
2. Segundo momento de sentarle: busca el que mejor se adapte a ti...
3. Establece rutinas para que sean muchos los momentos de ir al baño:

   - Al levantarse.
   - A media mañana.
   - Antes de comer.
   - Antes de la siesta.
   - Después de la siesta.
   - A media tarde.
   - Antes del baño.
   - Antes de ir a la cama.

4. Establece una rutina para que se siente a hacer caca: el mejor momento es después de desayunar o comer.
5. Si el niño ya tiene la rutina establecida para ir al baño, hace muchas veces en el retrete y mantiene el pañal bastantes veces seco, es momento de quitar el pañal diurno.
6. Sigue con las rutinas de momentos de ir al baño para evitar los escapes: le pondrás cada dos o tres horas.
7. Aplica el Tren SECO SECO para consolidar el día seco.
8. Después de una semana reteniendo en la siesta, quítale el pañal.
9. Empieza a levantarle antes de acostarte tú para ver si retiene por la noche.
10. Quita biberones de agua y restringe líquidos por la noche.
11. Después de una semana amaneciendo el pañal seco, quítale el de la noche.
12. Sigue un sistema de puntos para incentivarle a que se levante al baño.
13. Aplica el Tren SECO SECO para consolidar la noche seca.
14. Si has seguido bien los pasos del método, NUNCA NUNCA le vuelvas a colocar el pañal.

10

Si algo no funciona... Soluciones para las dificultades en la aplicación del programa

Caso: Diego
Caso: Almudena
Caso: Alberto
Caso: Iris

En este apartado vamos a analizar las situaciones en las que los padres o cuidadores/profesores se encuentran con complicaciones al aplicar el Programa en 5 pasos. Las causas pueden ser las siguientes:

- No se ha seguido el Programa en 5 pasos correctamente.
- Se ha retirado el pañal al niño antes de conocer el programa.
- No se han seguido los pasos, «saltándose» alguno.
- Alguna situación externa ha impedido concluir el programa con éxito.

A menudo, los padres acuden a mi consulta una vez que se encuentran con un problema y tras haber intentado quitar el pañal sin éxito. Vamos a analizar aquí diversas situaciones y sus posibles soluciones.

> **SITUACIÓN 1.** El niño tiene muchos más escapes de los esperados porque el pañal se le ha quitado demasiado pronto y realmente todavía no estaba preparado madurativamente hablando.

Son niños de alrededor de los 2 años que todavía no tienen un control vesical adecuado. Cuando se les quita el pañal no son capaces de retener y, aunque consiguen de vez en cuando hacer en el orinal, la mayoría de las veces se lo hacen encima y no experimentan cambios ni mejorías tras una o dos semanas después de abandonar el pañal.

En este caso, el niño ha tenido un entrenamiento adecuado pero demasiado prematuro, así que lo más lógico será volverle a colocar el pañal y seguir creando las rutinas de ir al baño y quitar el pañal sólo cuando sea capaz de mantenerse seco durante dos-tres horas (no hace falta que sea siempre) y hacer pis voluntariamente en el baño, la mayoría de las veces que se le siente.

Caso: Diego

Diego era un niño de 18 meses que iba a la escuela infantil. Un día, la madre le dijo a su profe que el niño iba sin pañal porque en casa ya lo hacía en el retrete. Diego se pasó varios días haciéndose pis encima y sin hacer ni una sola vez en el orinal. Tras una semana sin ningún cambio se decidió en la escuela volverle a colocar el pañal. Tras un mes y medio de entrenamiento, Diego estuvo más que preparado para ir sin él, ya que aguantaba dos-tres horas con el pañal seco y siempre que se la sentaba en el orinal hacía pis.

> **SITUACIÓN 2.** El niño tiene muchos más escapes de los esperados porque el pañal se le ha quitado cuando el niño está preparado madurativamente, pero no se han aplicado los pasos 1 y 2 de manera adecuada.

El niño se ha sentado alguna vez en el retrete/orinal pero de forma esporádica, sin seguir una rutina, sin establecerse momentos determinados de ir al baño, con períodos en los que no se le ha sentado y períodos en los que se le sienta sin seguir un orden ni una rutina.

En este caso el niño no tiene un entrenamiento adecuado. En realidad, ni siquiera podíamos decir que ha empezado el entrenamiento, sino sólo una toma de contacto con el retrete/orinal.

Como consecuencia de esto, no retiene ni hace de forma voluntaria en el retrete, así que volveremos a colocar el pañal y empezaremos el Programa en 5 pasos por el paso 1, creando la rutina de un momento al día de ir al baño, siempre a la misma hora y todos los días.

Caso: Almudena

Almudena era una niña de dos y medio que cumplía los 3 años en agosto. En junio, su madre decide que le tiene que quitar el pañal diurno porque ya es mayor y además empieza el cole en septiembre. La niña no se había sentado nunca en la escuela infantil donde acudía y pocas veces en casa. Tras la retirada del pañal, Almudena comienza a hacerse pis encima continuamente y durante varios días. Se aconseja a la madre que le coloque otra vez el pañal y que empiece el Programa en 5 pasos desde el principio. Al cabo de dos meses, la niña estaba preparada. Se le quitó el pañal antes de empezar el cole y el éxito fue absoluto.

SITUACIÓN 3. El niño tiene muchos más escapes de los esperados porque no retiene nada o retiene mucho. Al final se lo hace encima porque el pañal se le ha quitado cuando todavía no había consolidado el paso 2: sólo se había conseguido establecer la rutina de momentos de ir al baño para dos momentos o para ninguno.

Esta situación es muy frecuente puesto que muchos padres delegan el entrenamiento de los momentos de ir al baño en la escuela infantil. Como consecuencia de esto, los niños se sientan dos veces al día, y, a lo sumo, ya no se vuelven a sentar en todo el día. El pañal se quita sin que se haya establecido correctamente la rutina y antes de lo aconsejable.

El resultado de esto es que los niños se hacen muchas veces encima o no hacen voluntariamente en el orinal las veces que se les pone, por lo que no aguantan y acaban mojando los pantalones.

La solución aquí no es volver a colocar el pañal, sino armarse de paciencia y crear la rutina de ir al baño poniéndole al niño cada dos o tres horas. El entrenamiento se hace mucho más rápido de lo normal, intentando crear momentos de ir al baño (todos a la vez y no de una forma progresiva, como haríamos en el programa original).

Al cabo de un poco más de tiempo, unas dos semanas, el niño se acostumbrará y conseguirá hacer voluntariamente en el baño y mantenerse seco.

Tenemos que armarnos de paciencia puesto que los escapes van a ser continuos. También hay que ser mucho más firmes y tenaces sentando al niño cada dos o tres horas para evitar que tenga escapes y establecer la rutina que debió de crearse antes de quitar el pañal.

Muchos padres optan por quitar el pañal de esta manera sin darse cuenta de que, además de que el niño tendrá muchos más escapes de los esperados, deberán de todos modos crear los momentos de ir al baño más tarde y de una forma mucho más urgente y ansiógena.

SITUACIÓN 4. El niño tiene escapes porque no consigue hacer cuando se le sienta en el retrete/orinal y al final acaba haciéndoselo encima al no aguantar más. El pañal se le ha quitado antes de que se haya consolidado el paso 2. El niño tiene bien establecidos los momentos de ir al baño, pero no ha conseguido hacer casi nunca de manera voluntaria en el retrete/orinal.

La solución aquí sería la misma que en la situación número 3: no volver a colocar el pañal, sino armarse de paciencia e ir creando la rutina de acudir al baño poniéndole al niño cada dos o tres horas. Aquí sería especialmente útil que, mientras el niño se sienta en el baño, se le incentive para que intente relajar su esfínter. Para ello, deberíamos permanecer con él en el cuarto de baño e intentar mantenerle sentado durante períodos más largos.

Sería imprescindible, más que nunca, que no se le regañe por hacérselo encima, puesto que, recordemos, no hace en el retrete porque no puede, no porque no quiere.

Caso: Alberto

Alberto llevaba todo el año en la guardería sentándose como sus compañeros. Una vez en la mañana y otra antes de comer, se sentaba tranquilamente en el orinal y allí se quedaba. Ni una sola vez en todo el año el niño hizo pis en el orinal. Por supuesto, en casa no estaban interesados en el tema del pañal y no le habían sentado nunca.

En el mes de junio la madre decidió que ya era momento de quitar el pañal a su hijo porque en septiembre empezaría el cole. Alberto estuvo una semana sin dejar de hacerse pis encima. Retenía durante casi toda la mañana, unas cuatro horas, pero, cuando llegaba el momento de ir a casa, no aguantaba y se lo hacía por el camino. Su madre se desesperaba porque casi todos los días mojaba la silla del coche. Se recomendó no colocar el pañal de nuevo y que la madre intentase ponerle a hacer pis cada dos o tres horas, como se explica en el paso 2, creando los momentos de ir al baño. En este caso, los momentos se crearon todos de golpe, es decir, se empezó a poner al niño nada más levantarse, a media mañana, antes de comer, antes y después de la siesta, antes del baño y antes de dormir. Tras una semana, Alberto comenzó a hacer pis en el orinal y, tras dos, ya era capaz de producir la micción cada vez que se le sentaba y los escapes desaparecieron.

SITUACIÓN 5. El niño se hace muchas veces caca encima tras la retirada del pañal porque muy pocas veces ha hecho caca en el retrete/orinal o nunca lo ha conseguido. Ha tenido un buen entrenamiento para el control de la micción y, sin embargo, no para las heces.

En este caso, bien se lo hace encima cada vez que lo necesita o bien retiene hasta no aguantar más o aprovecha y aguanta hasta que le colocamos el pañal de la siesta o el nocturno para hacerse caca en él.

La solución a esto es crear una rutina de ir al baño después de desayunar o después de comer como se indica en el paso 4, pero sin volver a colocar el pañal.

Si el niño se estriñe, es importante no dejar que pase más de un día sin ir al baño a hacer caca.

En estos casos es imprescindible no mostrar y no regañar ni castigar si el niño se lo hace encima. Debemos tener claro que no lo hace en el retrete porque no sabe o no puede y no porque no quiere.

Será muy útil que estemos con él cuando se siente en el retrete a hacer caca ayudándole a permanecer más tiempo sentado.

También se puede usar el refuerzo por sentarse. Puede aplicarse un sistema de puntos para incentivar que se siente poniendo un punto cada vez y un refuerzo pequeño inmediato si consigue hacer caca en el retrete.

SITUACIÓN 6. Se le ha quitado el pañal al niño y se decide volver a ponérselo porque una circunstancia externa impide ponerle a hacer pis a sus horas.

En este caso, sea por una enfermedad del niño, de la madre o por una situación externa inesperada, etc., que impida que se pueda poner al niño a hacer pis correctamente, se decidirá volver a colocar el pañal y dejarlo para cuando se pueda.

Caso: Iris

Se quitó el pañal a Iris sin ningún problema y la niña al poco tiempo tuvo una vaginitis. Como consecuencia de esto, y para evitar que la niña se tocase al tener la vulva inflamada, se decidió volver a colocarle el pañal y dejarlo para cuando estuviese curada.

Iris no tuvo ningún problema cuando se le volvió a entrenar y se decidió quitarle el pañal. Hubo que ayudarla tranquilizándola al ir al baño, ya que el miedo al dolor hacía que evitase sentarse.

> **SITUACIÓN 7.** El niño ya tiene 4 o 5 años y no se le ha quitado el pañal de la noche. Los padres se han dormido en los laureles o simplemente, por desconocimiento, no le han quitado el pañal al poco tiempo de quitarle el diurno. Deberán quitarle el pañal para que aprenda a identificar la señal de vejiga llena y lo asocie a levantarse, y no a evacuar.

Hay que tener en cuenta en este caso que el aprendizaje será mucho más costoso y los escapes serán muchos. Sin embargo, se deberá tener paciencia y no volver a poner el pañal. Se podrán aplicar los programas de refuerzo de fichas para que aprenda a levantarse y el Tren SECO SECO para motivarle a estar seco. También se podrá aplicar el entrenamiento en retención voluntaria, explicado en el apartado de enuresis diurna, y si el niño tiene más de 5 años, se podrá aplicar tanto el sistema de alarma como el entrenamiento en cama seca, explicado en el apartado para la enuresis nocturna.

11

A partir de 5 años

Criterios diagnósticos para la enuresis
Tipos de enuresis
Causas de la enuresis
Enuresis diurna primaria
Enuresis diurna secundaria
Enuresis nocturna
Tratamientos para la enuresis diurna primaria
    Entrenamiento en retención voluntaria
Tratamientos para la enuresis nocturna
    Sistema de alarma
    Sobreaprendizaje
    Entrenamiento en cama seca (ECS)
    Alternativas al entrenamiento en cama seca

Si el niño tiene más de cinco años y carece de un completo control de los esfínteres, tanto de día como de noche, ya no podemos hablar de escapes, sino que lo denominamos con el nombre clínico de ENURESIS.

Según la definición del DSM-5*, la enuresis es la emisión involuntaria o intencional de orina durante el día o la noche, y puede ocurrir en la cama o en la vestimenta.

El trastorno de eliminación o enuresis se caracteriza porque ocurre en una edad donde se espera que haya continencia urinaria.

Criterios diagnósticos para la enuresis

a) Emisión repetida de orina en la cama o en los vestidos (sea voluntaria o intencionada).

b) El comportamiento en cuestión es clínicamente significativo, manifestándose por una frecuencia de dos episodios semanales durante, al menos, tres meses consecutivos o por la presencia de malestar clínica-

---

* Clasificación de los trastornos. Manual diagnóstico y estadístico de los trastornos mentales de la Asociación Americana de Psiquiatría.

mente significativo o deterioro social, académico (laboral) o de otras áreas importantes de la actividad del individuo.

c) La edad cronológica es de alrededor de los cinco años (o el nivel de desarrollo equivalente).

d) El comportamiento no se debe exclusivamente al efecto fisiológico directo de una sustancia (por ejemplo, un diurético) ni a una enfermedad médica (por ejemplo, diabetes, espina bífida, trastorno convulsivo...).

Tipos de enuresis

La enuresis se clasifica teniendo en cuenta diferentes factores:

Dependiento del momento en el que se produce la micción

- Sólo nocturno: los episodios ocurren sólo en la noche.
- Sólo diurno: los episodios ocurren durante el día.
- Nocturno y diurno: ocurren combinaciones en los episodios durante el día y la noche.

Atendiendo a la frecuencia

- Enuresis cotidiana: enuresis primaria que sucede con una frecuencia diaria.
- Enuresis irregular: con una frecuencia de una vez por semana y la edad de los niños aumenta hasta los 8 años.
- Enuresis intermitente: sólo se produce el descontrol de vez en cuando por celos, pesadillas, cambios, ansiedad... Es una enuresis transitoria con intervalos en los que se mantiene seco.

- Enuresis episódica: sin causa aparente, se presenta unas ocho o diez veces al año.

Según el control de la micción

- Primaria: cuando el niño no ha llegado a controlar la micción durante un período continuado de, al menos, seis meses. El 80 por 100 de las enuresis son primarias.
- Secundaria: cuando ha existido un período previo de control de la vejiga.

A los 5 años de edad la prevalencia de enuresis es del 7 por 100 en niños y del 3 por 100 en niñas.

Si es diurna, la prevalencia es notablemente inferior a la nocturna, dándose el doble de casos de niñas que de niños, al contrario que en la nocturna.

Aunque la edad para diagnosticar un problema de enuresis está establecida a los 5 años, antes de esta edad el niño puede experimentar consecuencias importantes derivadas de no controlar sus esfínteres. La importancia que la familia otorgue al problema dependerá de si el niño tiene más o menos edad, si se hace pis todas las noches o sólo alguna, si ocurre desde siempre o tras algún acontecimiento estresante, etc.

Los casos de escapes diurnos, aun no pudiéndose establecer un diagnóstico de enuresis, porque el niño sea menor, suelen ser complicados por la problemática social que acarrean, tanto al niño como a los padres. Su tratamiento se demanda tempranamente, especialmente si hablamos de escapes de heces.

En el caso de la enuresis nocturna, aunque el niño sea menor de 5 años, si mojar la cama supone un problema bien por la frecuencia, bien porque no puede dormir fuera de casa, bien por la incomodidad de los cambios de ropa etc., los padres deberán tomar medidas y ayudarle con alguno de los tratamientos propuestos para la enuresis nocturna, aunque no se le pueda diagnosticar todavía de enuresis por razón de edad.

Causas de la enuresis

No hay una sola causa que explique todos los casos de enuresis infantil.

Para encontrarla debemos recurrir a:

1. Explicaciones biológicas de transmisión genética:

    - Patología genitourinaria (estructural, neurológica e infecciosa, como uropatía obstructiva, espina bífida y cistitis).
    - Capacidad vesical: la vejiga no tiene capacidad porque no se le ha entrenado o por algún problema fisiológico.
    - Disfunción vesical.
    - Deficiencia de la hormona antidiurética (vasopresina).
    - Trastornos orgánicos: como la diabetes mellitus, diabetes insípida.
    - Trastornos de conciencia y del sueño: sonambulismo.

2. Causas psicosociales.

Enuresis diurna primaria

Desde una perspectiva psicológica, se piensa que la enuresis diurna primaria es debida a un déficit de aprendizaje. El niño *no se hace pis encima a propósito,* como cabría pensar, sino que no se han dado todos los elementos necesarios para un correcto aprendizaje:

- Experiencias de aprendizaje inadecuadas, por entrenamiento prematuro de los niños, aprendizaje demasiado acelerado o demasiado laxo. Exigir que controle esfínteres demasiado pronto porque el niño no está preparado madurativamente o porque necesita más tiempo para aprender aunque esté preparado; puede inducir fobia al inodoro y rechazo de todo lo relacionado con este aprendizaje. En el otro extremo, «dormirse en los laureles», tampoco es acertado, porque el niño no se lo tomará en serio. Las diferencias de actuación entre los padres, los mimos excesivos o la flexibilidad de padres que hayan sufrido enuresis no facilitan el aprendizaje.

- Falta de autonomía generalizada: el niño quiere seguir siendo un niño por la atención y el cuidado que esto le ofrece. Son niños a los que sus padres les ayudan en todo, no fomentando la autonomía, y a los que todavía siguen viendo como bebés: usan chupete, biberón, vaso adaptado, cuna, trona... El niño recibe una compensación secundaria al hecho de tener que seguir llevando pañales: seguir siendo un bebé. Esta situación, en ocasiones consciente pero la mayoría inconsciente, provoca que el niño no desee abandonar el pañal y, por consiguiente, siga haciéndose pis encima.

- El niño no ha aprendido a discriminar la sensación de llenado de la vejiga. Cualquier acción que impida el llenado de ésta, dificulta el aprendizaje, como, por ejemplo, poner a los niños en el orinal cada poco tiempo para que no se lo hagan encima o restringir los líquidos al máximo por la tarde y hasta el momento de irse a la cama.

- Los padres no han reforzado la conducta adecuada de hacer pis en el cuarto de baño porque consideran que es algo normal que se ha de conseguir a esa edad, y el niño se desmotiva, produciéndose dificultades en el aprendizaje.
- Castigar, criticar o burlarse del niño pueden ejercer el efecto contrario al deseado, y que el niño se haga pis precisamente por la ansiedad generada.
- El niño que tiene poca atención o que busca activamente la misma por medio de hacérselo encima: los niños que por cualquier motivo necesitan de una mayor atención pueden tratar de que el adulto se la dé mostrando dificultades diversas, entre ellas, problemas de retención.
- El estrés psicosocial del niño, como el fallecimiento de un familiar, el nacimiento de un hermano, una hospitalización, el divorcio de los padres..., puede entorpecer o enlentecer el aprendizaje.
- Pensar que el tiempo lo cura todo: «con el tiempo, el niño dejará de hacerse pis solo o no querrá usar pañales» o considerar que mojar la cama es un problema hereditario y que no se puede hacer nada por cambiarlo, no poniendo los medios necesarios para que el aprendizaje se produzca.

Enuresis diurna secundaria

En este caso existe un problema externo que ha producido que el niño vuelva a hacerse pis encima después de muchos meses reteniendo. Habrá que buscar la causa física, la psicológica o la social e intervenir sobre ella, para que la enuresis desaparezca, siempre acudiendo a un profesional cualificado que, primero, realice un buen diagnóstico y, segundo, proponga el tratamiento más adecuado en cada caso.

Enuresis nocturna

En la enuresis nocturna primaria, los trastornos psicológicos casi siempre son resultado de la enuresis y sólo raramente son la causa.

Según la Asociación Americana de Psiquiatría, las posibles etiologías de la enuresis nocturna primaria consisten en un retraso del desarrollo, un factor genético, desórdenes del sueño y alteraciones de los niveles de hormona antidiurética (ADH).

A diferencia de la enuresis nocturna primaria, en la secundaria casi siempre la causa es psicológica y su tratamiento depende de que se solvente el problema que la ha originado, como en la enuresis diurna secundaria.

Una de las teorías de por qué se produce enuresis nocturna primaria es que los niños que mojan la cama tienen un **sueño especialmente profundo** que impide que se contraigan los músculos de la vejiga, que provocan que se despierte antes de comenzar a orinar.

Se sabe que la micción no depende de las fases del sueño, sino que puede aparecer en cualquiera de ellas. **Los niños enuréticos muestran un patrón de sueño normal, con la única diferencia de que no se despiertan ante la sensación de vejiga llena.**

Tampoco se ha podido confirmar que la enuresis nocturna primaria se deba a un deficiente tono muscular, aunque es cierto que hay fármacos capaces de aumentar la capacidad de contracción de los músculos que intervienen en la retención de la micción.

También se dice que los niños con enuresis nocturna tienen poca capacidad funcional de vejiga y no pueden aguantar toda la noche sin orinar. Sin embargo, la mayoría de los niños enuréticos tienen una capacidad media de la vejiga similar a la de los no enuréticos, aunque en algunos casos tal capacidad está claramente reducida y asociada a retenciones de día inferiores a dos horas. En estos casos el procedimiento a seguir es enseñarle al niño a retener un poco más una vez que note la sensación de llenado de vejiga, y cuando vaya al baño finalmente, cortar el pis varias veces durante la micción con el fin de mejorar su capacidad retentiva (consultar entrenamiento en retención voluntaria).

Si el niño tiene una capacidad de vejiga normal y la frecuencia de las micciones sigue siendo elevada, habrá que descartar la deficiencia de hormona antidiurética (vasopresina).

RECUERDA

1. No hay una sola causa que explique todos los casos de enuresis infantil.
2. Las causas pueden ser biológicas o psicosociales.
3. La micción nocturna no depende de las fases del sueño, sino que puede aparecer en cualquiera de ellas.
4. Los niños enuréticos muestran un patrón de sueño normal, con la única diferencia de que no se despiertan ante la sensación de vejiga llena: tienen un sueño muy profundo.
5. No se ha podido confirmar que la enuresis nocturna primaria se deba a un deficiente tono muscular.
6. La mayoría de los niños enuréticos tienen una capacidad media de la vejiga similar a la de los no enuréticos.
7. Desde una perspectiva psicológica, se piensa que la enuresis diurna primaria es debida a un déficit de aprendizaje. El niño no se hace pis encima a propósito, como cabría pensar, sino que no se han dado todos los elementos necesarios para un correcto aprendizaje:

   - Por aprendizaje inadecuado.
   - Falta de autonomía generalizada.
   - No ha aprendido a discriminar la sensación de llenado de la vejiga.
   - Los padres no han reforzado la conducta adecuada porque consideran que es algo normal que se ha de conseguir a esa edad.
   - Castigar, criticar y burlarse del niño pueden ejercer el efecto contrario al deseado.
   - El niño que tiene poca atención o que busca activamente la misma por medio de hacérselo encima.
   - Estrés psicosocial del niño.
   - Los padres no han puesto los medios para ayudar a su hijo a no hacerse pis encima.

Tratamientos para la enuresis diurna primaria

En caso de enuresis diurna, lo primero es descartar cualquier problema biológico. Para ello realizaremos los chequeos que nos recomienden el pediatra, el urólogo o el nefrólogo.

Una vez descartada la patología médica, el tratamiento que se recomienda en el caso de la enuresis diurna es la aplicación del Programa en 5 pasos, si la enuresis se debe a un déficit en el aprendizaje.

En los casos en que la causa sea externa, como el estrés psicosocial, se tratará dicha causa a la vez que se le aplica el Programa en 5 pasos para un correcto entrenamiento.

Será necesario acudir a un profesional (psicólogo clínico infantil) que guíe a los padres en el proceso. Una vez instaurada la enuresis, las dudas serán muchas, además de la ansiedad que generan los escapes y la sensación de fracaso que habitualmente tienen los padres en esta situación.

Entrenamiento en retención voluntaria

El entrenamiento en retención voluntaria es un tratamiento que se aplica al niño por el día y sirve para aumentar la capacidad funcional de la vejiga. Se usa para el tratamiento tanto de la enuresis diurna como nocturna.

El entrenamiento conductual, sistematizado por Kimmel y Kimmel (1970), consiste en enseñar al niño a retener su orina cuando el deseo de orinar resulta apremiante, retrasando voluntariamente la evacuación durante períodos de tiempo progresivamente más largos. En el método original ideado por los autores el entrenamiento se lleva a cabo por el día.

Este entrenamiento se ha mostrado útil para la retención nocturna, ya que, además de aumentar la capacidad vesical, ayuda al niño a frenar la orina en el caso de que se produzca la micción mientras duerme, y así poder retrasarla hasta que el niño se levante y llegue al baño.

El niño aprenderá así a retener voluntariamente la orina, lo que favorecerá que no se produzcan escapes diurnos ni nocturnos.

La manera de proceder es pedirle al niño que cada vez que sienta ganas de orinar retrase el momento unos minutos, hasta que realice la micción. También se le puede pedir que mientras hace pis en el baño detenga varias veces a voluntad la orina. Para los niños, esto resulta un juego divertido de hacer y se sienten orgullosos de ser capaces de producir la micción a su antojo.

Cuando el niño esté haciendo pis se le retará a ser capaz de parar y se le dará la orden de: ¡Para! para que detenga la micción, y: ¡Sigue! para que continúe. Se repetirá esto unas cuantas veces antes de que vacíe la vejiga por completo.

Tratamientos para la enuresis nocturna

En el caso de la enuresis nocturna, lo primero es descartar que exista un problema médico.

Descartada la causa biológica, será absolutamente imprescindible que la familia visite a un psicólogo clínico infantil con formación al respecto.

Lo primero que hará el profesional es recoger una historia completa del niño y sus circunstancias. Para ello realizará una revisión de la vida del niño desde que fue concebido con el fin de tener una visión lo más amplia posible de la trayectoria de la familia y del propio niño: expectativas, miedos, dificultades de crianza, situación laboral de los padres, tiempo que pasa el niño con los padres, situaciones estresantes vividas, desarrollos cognitivo, biológico y psicosocial del niño...

Además de esto, el profesional encargado se ocupará de llevar a cabo un registro de la enuresis lo más exhaustivo posible, para ver qué ocurre cada noche, tras el cual elegirá el tratamiento que más se adecúe a las circunstancias del niño y su familia, con explicaciones detalladas de todo el proceso y un seguimiento continuo del mismo.

Los tratamientos para la enuresis nocturna son muchos y variados:

- Tratamiento farmacológico: los fármacos más utilizados son la desmopresina y los antidepresivos tricíclicos como la imipramina y los anticolinérgicos, aunque en menor medida.
- La restricción de líquidos (supresión) antes de irse a dormir es un método que los padres utilizan con frecuencia (Shaffer, 1977), sin embargo, puede agravar una capacidad vesical funcional baja (Sorotzkin, 1984). Aun así, es útil restringir las bebidas con propiedades diuréticas antes de ir a la cama (Novello, 1987).
- Despertar de forma programada: que consiste en despertar al niño para permitirle levantarse y orinar (Warzak, 1994). Puede utilizarse el plan que consiste en despertar al niño de forma programada, cada vez más temprano, hasta que el intervalo entre ir a la cama y el despertar programado sea de una hora. Así, el niño alargará el tiempo en el que permanezca en la cama sin que el adulto le levante, o puede hacerse al revés, despertando al niño desde que se acuesta cada dos o tres horas. Los niños de mayor edad pueden usar un reloj despertador para despertarse por sí mismos (Blackwell, 1989).

Sistema de alarma

Desde hace tiempo se ha demostrado que el condicionamiento clásico es uno de los métodos más eficaces contra la enuresis.

El sistema de alarma es un procedimiento basado en el condicionamiento clásico diseñado originalmente por Mowrer, cuyo objetivo es que el niño se anticipe a la micción involuntaria por activación del reflejo durante la noche. Consiste en un dispositivo que hace sonar un timbre al humedecerse un interruptor eléctrico. Al oír el potente timbre, el niño inhibirá la micción y se despertará para ir al baño.

Este sistema facilita de manera definitiva el aprendizaje de levantarse a orinar. El niño acaba condicionando al timbre la sensación de vejiga llena y la contracción del esfínter. Así, se despertará justo antes de comenzar la micción cuando sienta que su vejiga está llena.

La alarma está destinada a cambiar el significado de la sensación de vejiga llena: de señal para orinar a señal para inhibir la micción y despertar (Forsythe, 1989). Si antes la sensación de vejiga llena era señal que indicaba al niño vaciar su vejiga, ésta se convierte ahora en señal para que retrase la micción y se levante, para acabar haciendo en el lugar correcto: el baño.

Una vez logrado esto, el niño deberá levantarse de la cama para ir al cuarto de baño sin que suene la alarma. Para ello, habrá que aplicar los reforzamientos necesarios (atención elogios, halagos y regalos por la conducta adecuada de mantener la cama seca). Habría que usar un sistema de puntos con reforzamiento como el ya explicado en estas páginas, además del Tren SECO SECO, sistemas de refuerzo los dos que ayudan al niño a mantener la conducta de levantarse y mantenerse seco hasta asegurar el aprendizaje completo.

En la mayoría de los casos, el tratamiento suele durar entre cuatro y doce semanas.

Actualmente existen muchas variaciones: la alarma puede ser un timbre, un zumbador, una señal visual como una luz o puede vibrar. Existen también muchos tonos e intensidades diferentes. Será el profesional el que indique cuál será el más adecuado en cada caso.

Sobreaprendizaje

Pretende fortalecer las respuestas de inhibición/despertar que se consiguieron en el condicionamiento con el sistema de alarma después de catorce noches seguidas consecutivas secas.

Se le pide al niño que aumente la ingesta de líquidos antes de acostarse para que los riñones produzcan más orina durante la noche, lo que obliga al músculo detrusor a adaptarse al mayor volumen almacenado en la vejiga, aumentando además la capacidad de la vejiga.

Entrenamiento en cama seca (ECS)

Fue creado por Azrin, Sneed y Foxx (1973,1974) para corregir la enuresis nocturna basándose en los paradigmas del condicionamiento operante, es decir, mediante la aplicación de consecuencias (positivas o negativas) a un comportamiento que se supone socialmente inaceptable.

En este caso, la alarma no se usa para establecer una asociación entre la distensión vesical y un sonido, sino que su utilización les sirve a los padres o entrenadores para aplicar al niño, de forma inmediata, las consecuencias de hacerse pis en la cama. El niño aprende a evitar las consecuencias negativas de hacerse pis encima y se anticipa, acudiendo al baño cuando siente que su vejiga se llena.

El ECS es un tratamiento menos usado que el de la alarma, pero no por ello menos eficaz. Es más, los datos de diversas investigaciones nos desvelan que es más rápido y tan eficaz o más que la alarma.

El entrenamiento en cama seca debe ser supervisado y dirigido por un profesional experto en el tema: un psicólogo clínico infantil que entrene a los padres y solvente todas las dudas que puedan surgir durante el proceso.

¿En qué consiste?

El entrenamiento se lleva a cabo en tres fases:

- Fase 1. Una noche de entrenamiento intensivo.
- Fase 2. Fase de supervisión, posentrenamiento que se alarga hasta que el niño permanece seco durante siete noches seguidas.

- Fase 3. Fase de rutina normal: otras siete noches sin mojar la cama.

Fase 1. Primera noche: una noche de entrenamiento intensivo

Es la parte más difícil del proceso y la más costosa, tanto para los padres como para los niños. Puede llevarla a cabo un entrenador experto en el tema o los padres bien entrenados y bajo la supervisión de un profesional cualificado, sin restar por ello eficacia al tratamiento.

1.º Una hora antes de que el niño se acueste

Se coloca el **aparato de alarma** y se le pide al niño que se lo ponga solo y lo desconecte solo.

Se le explica lo que es la práctica positiva y se le pide que realice 20 ensayos.

Práctica positiva

Permite al niño aprender cuál es la conducta alternativa correcta: levantarse de la cama rápidamente cuando sienta la necesidad de orinar y hacerlo en el baño.

El niño se acuesta en la cama con la luz apagada, cuenta en voz baja y lentamente hasta 50, se levanta y va al baño a intentar hacer pis. Luego, se vuelve a la cama, apaga la luz y repite la secuencia durante 20 veces seguidas.

Se le explica al niño todo el proceso y qué ocurrirá si se hace pis en la cama:

«Te voy a despertar cada hora durante toda la noche. Cuando te despierte tendrás que ir al baño y hacer pis. Luego, te colocarás otra vez la alarma y te dormirás. Si te haces pis en la cama, sonará una alarma, deberás cortar el pis y apagar la alarma e ir corriendo al baño a orinar. Después cambiarás las sábanas y el calzoncillo/braga e irás 20 veces al baño contando antes hasta cincuenta».

También se le explica las ventajas de mantenerse seco y qué debe hacer si tiene ganas de hacer pis: «si tienes ganas de hacer pis, te levantas, desconectas la alarma y te vas al baño a hacerlo. Si no mojas la cama, no tendrás que cambiar las sábanas, no estarás mojado y no tendrás que ir 20 veces al baño después».

Antes de irse a dormir **beberá uno o dos vasos de agua extra** para que se incremente la necesidad de orinar y así poder practicar todas las fases del entrenamiento.

2.º Despertar intensivo programado

Durante la primera noche, y sólo durante esa noche, se le despierta al niño cada hora durante toda la noche y se le pide que vaya al baño a hacer pis. El objetivo de este entrenamiento es que el niño vaya aprendiendo a despertarse con estímulos externos cada vez más débiles para que al final aprenda a despertarse con el estímulo que supone la sensación de vejiga llena. Los padres o el entrenador deberán despertar al niño llamándole suavemente por su nombre, tocándole, para, poco a poco, ser más sutil en la forma de despertarle.

Algunos niños, al principio, necesitarán que les ayudemos a incorporarse porque son incapaces de despertarse con estímulos externos más débiles.

Si el niño no se dirige al baño inmediatamente, se le recuerda que si no va, mojará la cama.

Una vez que el niño esté en la puerta del baño hay que detenerle y preguntarle si es capaz de aguantar una hora más. Si dice que si, se le alaba y se le hace volver a la cama sin hacer pis. Si dice que no, se le pide que aguante unos minutos, se le deja que orine y se le alaba por mantenerse seco y hacer pis en el baño. Antes de meterse en la cama se comprueba con el niño que la cama está seca, se le felicita por ello y se le pide que beba un vaso de líquido antes de acostarse.

Si durante la primera noche, y a pesar de levantar al niño cada hora, o durante las noches siguientes, el niño se hace pis en la cama:

- **Si MOJA LA CAMA:** cuando el niño empieza a hacerse pis en la cama inmediatamente sonará la alarma. Los padres deben ir al cuarto del niño y pedirle que la desconecte. Después de terminar de hacer pis en el baño, los padres tendrán que mostrar su disgusto porque se ha hecho pis en la cama, pedirle al niño que cambie sus sábanas y su calzoncillo o bragas (**entrenamiento en limpieza**) y que vuelva a conectar la alarma.

Después de esto el niño deberá apagar la luz y empezar con la práctica positiva: cuenta en voz baja y lentamente hasta 50, se levanta y va al baño a intenta hacer pis. Luego, se vuelve a la cama, apaga la luz y repite la secuencia durante 20 veces seguidas.

Cada vez que el niño se haga pis en la cama, ya sea en la primera noche o en cualquiera de las noches del entrenamiento en cama seca, siempre deberá tener las mismas consecuencias: reprimenda de los padres, cambiar sus sábanas y ropa interior (entrenamiento en limpieza) y repetir los 20 ensayos de práctica positiva.

Fase 2. Supervisión posentrenamiento

Empieza el segundo día, después de haber realizado el entrenamiento intensivo y hasta que el niño se mantenga siete noches consecutivas sin hacerse pis en la cama.

Después de cada noche seca los padres deberán reforzar a su hijo y felicitarle por haber permanecido seco durante toda la noche.

Es aconsejable realizar **REGISTROS** de las noches que ha permanecido seco y se ha levantado a hacer pis al baño y de aquellas en las que se ha hecho pis encima y a qué hora ha sucedido.

También sería bueno usar un **PROGRAMA DE REFUERZO** que, por ejemplo, incluya un premio pequeño (como un cromo o un coche) cada vez que se levante solo al baño a hacer pis y otro premio más grande si permanece 15 días consecutivos seco, por ejemplo, ir al parque de atracciones, al zoo... Se puede usar para ello el programa de puntos y el Tren SECO SECO.

1.º Justo antes de acostarse

El niño se deberá colocar la alarma. Además, si se hizo pis la noche anterior, y sólo en ese caso, deberá realizar los 20 ensayos de práctica positiva antes de dormirse.

En el caso de que la noche anterior estuviese seco, se pondrá la alarma y se acostará.

Los padres deberán animarle a que haga pis en el baño y le recordarán qué pasa si se hace pis en la cama. El niño deberá repetir en voz alta las instrucciones de lo que tiene que hacer en caso de que sienta ganas de orinar.

2.º Despertar escalonado

Dos o tres horas después de que el niño se haya dormido, los padres le levantarán para que vaya al baño a hacer pis.

- Si **PERMANECE SECO** una noche: a la noche siguiente le despertarán media hora antes, y así sucesivamente hasta que la hora en la que habría que despertarle coincida con una hora o media hora desde que el niño se acostó. Es decir, si la primera noche de supervisión posentrenamiento el niño no se hizo pis, se le despertará a las 12 si se ha acostado a las 9. Si la siguiente noche no se hizo pis, le levantaremos a las 11,30. Si no se hace pis la siguiente noche, será a las 11, y así sucesivamente hasta que la hora de levantarle sea las 10, momento en el que ya no se le levantará más y pasaremos a la fase de rutina normal.

- **Si MOJA LA CAMA:** se desconectará la alarma, se irá al baño a hacer pis, se mostrará disgusto y se le pedirá que cambie las sábanas y que repita los 20 ensayos de práctica positiva. Si se hace pis la noche siguiente, no se adelantará media hora el momento de levantarle, sino que se le levantará a la misma hora del día anterior.

Fase 3. Rutina normal

Empieza cuando la hora de despertar al niño para que se levante a hacer pis coincide con una hora o media hora después de que se acostó.

Se retirará el aparato de alarma y ya no se le despertará más.

- **Si MOJA LA CAMA:** si el niño moja la cama, puede ocurrir que, como ya no tiene conectada la alarma, permanezca en la cama con todo mojado hasta el día siguiente. En este caso, se le pide al niño nada más levantarse que haga el entrenamiento en limpieza, cambiando sus sábanas, llevándolas al cubo y cambiándose los calzoncillos o bragas. Los ensayos de práctica positiva se dejarán para esa noche antes de acostarse.

  Si el niño avisa o los padres se percatan de que se ha hecho pis de noche, se debe actuar como siempre: pedirle que vaya al baño a hacer pis, se le mostrará disgusto y se le pedirá que cambie las sábanas y que repita los 20 ensayos de práctica positiva antes de volver a la cama.

- Si **PERMANECE SECO** una noche: deberán reforzar a su hijo y felicitarle por ello.

Esta fase y el entrenamiento acaban si se mantiene seco otras siete noches consecutivas sin mojar la cama.
Si se hace pis dos noches seguidas en una misma semana, se deberá volver a la fase de supervisión.

RECUERDA

ENTRENAMIENTO INTENSIVO LA PRIMERA NOCHE.
Una hora antes de acostarse:
1. Se le explica al niño todo el proceso y las ventajas de permanecer seco.
2. Se practica cómo poner y quitar la alarma y se le coloca.
3. Se hacen 20 ensayos de práctica positiva (contar hasta 50 e ir al baño).
4. Se le hace beber al niño dos vasos de líquido extra y se le acuesta.
5. Se le despierta cada hora preguntándole si puede retener la orina una hora más y se le pide que beba más líquido.

SUPERVISIÓN LA SEGUNDA NOCHE, y hasta que el momento de levantar al niño sea media hora o una hora después de haberle acostado:
1. Se levanta al niño a las dos o tres horas de haberle acostado y se va adelantando media hora el momento de levantarle al día siguiente si ha permanecido seco.
2. Se termina esta fase y ya no se le levanta más, si el momento de levantarle es media hora o una hora después de haberle acostado.
3. Si el niño se hace pis un día, hay que levantarle a la misma hora del día anterior (no adelantar la media hora).
4. Se harán registros de lo que ocurre cada noche: si permanece seco, si se levanta, si moja la cama...

RUTINA NORMAL.
1. Se retira la alarma y ya no se despierta al niño para llevarle al baño.
2. Termina la rutina normal si el niño permanece seco siete noches seguidas.
3. Si se moja la cama dos noches seguidas en una misma semana, se vuelve a la fase de supervisión.
4. Se le refuerza con un premio pequeño cada vez que se levante a hacer pis al baño y con un premio grande si permanece 15 días consecutivos seco usando el sistema de puntos o el Tren SECO SECO.

Alternativas al entrenamiento en cama seca

Azrin y Thienes (1978) propusieron una serie de cambios para facilitar el entrenamiento en cama seca:

- Suprimir la alarma: según estos autores, no aumenta la eficacia del tratamiento. Sin embargo, quitar la alarma hace que se postergue el entrenamiento en limpieza y la práctica positiva, que son elementos claves en el entrenamiento y el paradigma del condicionamiento operante.
- Cambiar la noche de entrenamiento intensivo por una tarde de entrenamiento intensivo: nada más volver el niño del colegio, que ingiera líquidos extras y que intente ir al baño cada hora a orinar, o que intente retener una hora más, y una hora antes de acostarse practique el entrenamiento en limpieza y la práctica positiva.

Si bien esta modificación que hacen los autores elimina el gran inconveniente que supone para los padres la noche de entrenamiento intensivo, vemos que éste por la tarde no aumenta la eficacia del tratamiento y podría suprimirse.

Bragado (1983) propone eliminar el despertar programado del entrenamiento porque contribuye poco a la eficacia del mismo, llegando a la conclusión de que los componentes más importantes del entrenamiento en cama seca son el dispositivo de alarma y la práctica positiva.

Propone así un entrenamiento simplificado, que consiste en **poner un dispositivo de alarma, hacer entrenamiento en limpieza y realizar la práctica positiva y el reforzamiento positivo.** Todo ello en una sola fase, desapareciendo así el entrenamiento intensivo y el despertar programado.

En cuanto a la práctica positiva, también aconseja que la cantidad de veces que el niño vaya al baño sea equivalente a los años que tenga. Así, un niño de 7 años tendrá que acudir al baño solo en siete ocasiones. Además, propone que el niño sólo tenga que contar hasta 10, en lugar de hasta 50, simplificando mucho la práctica positiva y, a nuestro parecer, sin restarle eficacia al tratamiento.

El método simplificado sería: colocar la alarma y, cada vez que el niño moja la cama, realizar el entrenamiento en limpieza y la práctica positiva, contando sólo hasta 10 y yendo al baño las veces equivalentes a su edad.

Nuestra sugerencia para motivar al niño en el entrenamiento simplificado y así aumentar su eficacia es usar el programa de puntos para premiarle, cada vez que se levante al baño a hacer pis (sin que haya sonado la alarma) y el Tren SECO SECO para premiarle las noches secas (con una pegatina) y la finalización del entrenamiento (tras 15 días consecutivos secos para enuresis más frecuentes y 30 para las esporádicas o intermitentes).

El entrenamiento simplificado es mucho más sencillo y hace que los padres estén más motivados para aplicarlo. Al quitar la noche de entrenamiento se evita que los padres y el niño estén una noche sin dormir, con lo que el método se puede aplicar cualquier día de la semana. Además, al aplicar la práctica positiva, la reducción del número de veces que el niño va al baño, así como las veces que tiene que contar en alto, hacen que el tiempo de permanecer despiertos tras un escape nocturno se acorte, lo que facilita a los padres su aplicación y continuidad.

12

Y si quieres profundizar...
Nociones de fisiología:
cómo funciona el sistema
urinario

El reflejo de micción
La micción en los niños

El aparato urinario humano se compone, fundamentalmente, de dos partes:

1. Los órganos secretores. Los riñones son un par de órganos de color oscuro, entre café y morado, situados debajo de las costillas y hacia el medio de la espalda. Su función es:

   • Eliminar en forma de orina los desechos líquidos de la sangre.
   • Mantener en la sangre un equilibrio estable de sales y otras sustancias.
   • Producir eritropoyetina, una hormona que ayuda en la formación de los glóbulos rojos.

2. La vía excretora. Que recoge la orina y la expulsa al exterior. Está formada por un conjunto de conductos:

   • Los uréteres. Son unos tubos estrechos que llevan la orina de los riñones a la vejiga. Los músculos de las paredes de los uréteres se contraen y relajan continuamente para forzar la orina hacia abajo, lejos de los riñones. Aproximadamente cada 10 o 15 segundos, los uréteres vacían cantidades pequeñas de orina en la vejiga.

- La vejiga urinaria. La vejiga es el órgano principal del sistema excretor, órgano hueco de forma triangular situado en el abdomen inferior. Está sostenida por ligamentos unidos a otros órganos y a los huesos de la pelvis, y destinada a contener la orina que llega de los riñones a través de los uréteres. Su interior está revestido de una mucosa impermeable a la orina. Cuando está vacía, sus paredes superior e inferior se ponen en contacto, tomando una forma ovoidea cuando está llena. La vejiga típica del adulto sano puede almacenar hasta dos tazas de orina en un período de dos a cinco horas, unos 700-800 ml. Tiene una gran capacidad de ampliarse, tanto que puede contener entre 200 a 400 ml aproximadamente antes de que una persona note la sensación de orinar*. El músculo vesical, conocido con el nombre de músculo detrusor, es un músculo liso e involuntario que forma las paredes de la vejiga cuyas fibras musculares se extienden en todas direcciones. Cuando la vejiga se dilata es el cuerpo de la misma el que se distiende, y cuando aumenta la presión intravesical para impulsar el vaciado de la orina. El esfínter uretral interno, o esfínter vesical, mantiene el cierre tónico de la uretra impidiendo el vaciado de la orina hasta que la presión intravesical alcanza un umbral crítico, que vence su tono muscular. El esfínter externo, a diferencia del resto de la musculatura de la vejiga, es un músculo esquelético sujeto a control voluntario que puede emplearse para prevenir

---

* Bragado, C. (2009). *Eneuresis nocturna. Tratamientos eficaces*. Pirámide.

la micción incluso ante la presencia de potentes reflejos de vaciado. Los nervios de la vejiga avisan a la persona cuando es hora de orinar o de vaciar la vejiga.

- La uretra. Es un conducto que transporta la orina desde la vejiga hasta el exterior. El cerebro envía señales a los músculos de la vejiga para que se contraigan y expulsen la orina. Al mismo tiempo, envía señales a los músculos del esfínter para que se relajen y permitan la salida de orina de la vejiga a través de la uretra. Cuando todas las señales se suceden en el orden correcto, ocurre la micción normal.

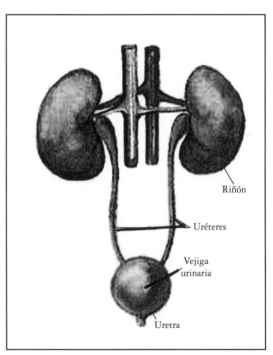

Riñón

Uréteres

Vejiga urinaria

Uretra

Los adultos eliminan cada día aproximadamente 1,5 litros de orina, según el consumo de líquidos y alimentos (800-1.500 cc o ml) .

El volumen de orina formado por la noche es aproximadamente la mitad del formado durante el día...

RECUERDA
1. El aparato urinario humano se compone de los riñones y de la vía excretora.
2. La vía excretora está formada por los uréteres, la vejiga y la uretra.
3. Los uréteres llevan la orina de los riñones a la vejiga.
4. La uretra lleva la orina desde la vejiga al exterior.
5. La vejiga tiene una gran capacidad de ampliarse: puede contener entre 200 a 400 ml antes de que una persona note la sensación de orinar.
6. El músculo detrusor es el músculo involuntario que forma las paredes de la vejiga y se distiende para impulsar el vaciado de la orina cuando aumenta la presión de ésta.
7. El esfínter vesical impide el vaciado de la orina, hasta que la presión dentro de la vejiga alcanza un umbral crítico, que vence su tono muscular.
8. El esfínter externo es un músculo voluntario que previene la micción, incluso ante la presencia de potentes reflejos de vaciado.
9. Los nervios de la vejiga avisan a la persona cuando es hora de vaciar.

El reflejo de micción

La micción refleja es un proceso medular completamente automático. En las paredes de la vejiga urinaria existen unos receptores que captan la presión y el aumento del volumen de la vejiga.

La micción puede inhibirse o precipitarse por centros encefálicos. Para que exista un control voluntario de la micción se necesitan complejas interacciones entre el sistema autónomo y el somático.

En control encefálico de la micción se produce por los siguientes medios:

- A través de la médula espinal, los núcleos encefálicos estimulan los centros simpáticos que producen la contracción del trígono y del esfínter externo, impidiendo la micción.

- A través de la médula espinal, los núcleos encefálicos estimulan los centros parasimpáticos sacros para que relajen el músculo esfínter externo cuando hay deseo de orinar. Además, se produce contracción abdominal y relajación del suelo pélvico, que facilitan la micción.

La micción en los niños

La mayoría de los niños logra el control de la micción a los 4 años de edad, sin embargo, hasta alcanzar el patrón miccional del adulto hay varias etapas por las que deben pasar.

Los lactantes, regularmente, orinan cada hora pequeños volúmenes de orina y su micción puede ser incompleta, sin un vaciado total de la vejiga. Estas micciones se caracterizan por ser estimuladas por la alimentación, y son controladas por un simple reflejo espinal y una mínima influencia de la corteza cerebral, es decir, es un «control» reflejo de la medula espinal y no un control voluntario «cerebral».

Hasta los 2 años de edad aproximadamente, **la micción está controlada únicamente de forma refleja por la médula espinal.**

A partir de esta edad, los niños son capaces de reconocer que su vejiga está llena y sienten la necesidad de orinar. Más adelante van siendo capaces de iniciar la micción, incluso si la vejiga no está llena del todo. En esta etapa, la capacidad de la vejiga va aumentando progresivamente.

Antes de alcanzar un control voluntario de micción hay una fase de transición en la que se combinan los reflejos espinales con el control de los centros suprarrenales. El control supraespinal se va imponiendo sobre el reflejo medular progresivamente desde los 18 meses a los 3 años: se desarrolla la vía que permite al niño tener un control voluntario sobre el reflejo que controla los músculos del detrusor y del esfínter.

Para controlar la micción, cuando estamos despiertos, hemos de tener conciencia del deseo de orinar, percibiendo las contracciones del detrusor cuando la vejiga está llena.

Esto implica aprender a controlar el esfínter externo de la vejiga para mantenerlo cerrado si deseamos postergar la micción.

Este desarrollo permite que el niño perciba la sensación de la vejiga y sea capaz de iniciar o inhibir voluntariamente la contracción del músculo detrusor, llevando a cabo la micción en el momento más apropiado. Para ello, debemos aumentar la presión intravesical mediante la contracción de los músculos pélvicos y provocar a voluntad la relajación del esfínter externo.

Es decir, en un primer tiempo, el niño será capaz de percibir que su vejiga está llena y empieza a tener conciencia de orinar, pero no es capaz ni de retener la orina postergando la micción ni de provocar a voluntad la relajación del esfínter para hacer pis donde le indiquemos.

En un segundo tiempo, irá siendo capaz de retener la orina durante períodos cada vez más largos, retrasando la micción y, por tanto, manteniendo el pañal más seco entre micción y micción. Todavía el control no es absoluto, por lo que no puede orinar cuando lo desee.

El tercer tiempo se da cuando el control ya es totalmente voluntario y cerebral. El niño no sólo se da cuenta de cuándo tiene ganas de orinar y las retiene, sino que es capaz de hacer pis donde y cuando quiera, incluso sin tener la vejiga llena.

En 24 horas, los volúmenes promedio de orina en los niños son, aproximadamente:

- De 2 a 11 meses: 400-500 cc.
- De 12 a 24 meses: 500-600 cc.

A los 3 años de edad, el número de micciones disminuye de 10-15 veces a 8-12 veces al día. El niño hará más cantidad y la frecuencia de micción será menor.

A la edad de 4 años, la mayoría de los niños tiene un control vesical diurno normal, presentando entre 4-7 micciones al día y permaneciendo secos entre cada micción. Dentro de los 5 a 12 años, entre el 80 por 100 y el 96 por 100 de los niños, respectivamente, alcanza el control nocturno.

La evolución natural de los mecanismos del control de la micción dependen tanto de una vía neural intacta como de múltiples factores, incluyendo el aumento de la capacidad funcional de la vejiga, la maduración de la coordinación esfínter-detrusor y el progresivo control voluntario sobre el complejo vejiga-esfínteres. Es decir, el niño, para conseguir el control completo, no deberá presentar ningún problema funcional en su vía neuronal, tendrá que haber aumentado la capacidad de su vejiga, habrá madurado la coordinación de su esfínter y deberá haber aprendido a controlar voluntariamente tanto su esfínter como su vejiga.

Todo esto nos indica que para que en el niño se dé el control voluntario y completo de la micción son necesarios un entrenamiento y una práctica previos para controlar tanto el esfínter como la vejiga.

RESUMEN

El control voluntario de la micción de los niños se produce en tres tiempos:

1. El niño empieza a tener conciencia de orinar, pero no es capaz ni de retener la orina postergando la micción ni de provocar a voluntad la relajación del esfínter para hacer pis donde le indiquemos.
2. Durante períodos de tiempo cada vez más largos, comienza a retener la orina, retrasando la micción y, por tanto, manteniendo el pañal más seco entre micción y micción.
3. El control ya es totalmente voluntario y cerebral: el niño se da cuenta de cuándo tiene ganas de orinar y las retiene, y es capaz de hacer pis donde y cuando quiera, incluso sin tener la vejiga llena.

Para que se produzca el control voluntario de la micción en un niño, éste:

1. No deberá presentar ningún problema funcional en su vía neuronal.
2. Deberá haber aumentado la capacidad de su vejiga.
3. Deberá aprender a controlar su esfínter y su vejiga mediante un entrenamiento.

Recursos

Libros

Bragado, C. (1999). *Un problema con solución. Enuresis infantil.* Pirámide.

Bragado, C. (2009). *Tratamientos eficaces. Enuresis nocturna.* Pirámide.

Ferrerós, M. L. (2008). *Adiós pañal.* Ediciones Planeta Prácticos.

Gilbert, J. (2004). *Adiós pañales. Guía práctica para tener días y noches secos.* Ediciones Parramon.

Largo, Remo, H. (2004). *Primeros años, primeros pasos.* Ediciones Medici.

Fodor, E., Morán, M. y Morelés, A. (2004). *Todo un mundo de sorpresas.* Pirámide.

Asociación Americana de Psiquiatría (2014). DSM-5. Manual diagnóstico y estadístico de los trastornos mentales.

Cuentos

¡Fuera el pañal! (Everest, 2009). Este título forma parte de la colección «Caillou mano a mano», protagonizada por uno de los personajes más queridos por los pequeños.

El libro de los culitos (SM, 2006). Divertido cuento en el que diferentes animales enseñan a los niños su forma de utilizar el baño.

Dita y Dito aprenden a usar el orinal (SM, 2006). Es una historia breve y sencilla ilustrada con pictogramas para que los niños puedan interpretarlos por sí mismos sobre Dita y Dito, dos hermanos gemelos que usan su orinal por primera vez.

Adiós, pañal (Vox, 2011). Perteneciente a la colección «Las historias de Alex», cuento que incluye un CD con canciones infantiles sobre el momento de dejar el pañal y una guía pedagógica para orientar a los padres en el proceso.

Edu ya no quiere llevar pañales y *Marina ya no quiere llevar pañales* (Juventud, 2010). Este cuento muestra cómo adquirir autonomía sin traumas ni peleas. Posee grandes ilustraciones y poco texto. Presentado en dos versiones, Edu, para niños, y Marina, para niñas.

¡Tengo pipí! (Corimbo, 2010). Pensada para enseñar a los pequeños a levantarse solos para ir al baño por la noche sin tener que recurrir a sus padres.

Páginas web para consultar

www.teresarosillo.com
www.abc.es/familia
www.rinconeducadores.com
www.todopapas.com
www.todobebe.com
www.guiainfantil.com

Blog

http://abcblogs.abc.es/catalota/2013/12/13/ni-cool-ni-it-ni-guay/: un blog de una madre periodista que cuenta sus experiencias, curiosidades, planes...

TÍTULOS PUBLICADOS

CLAVES PARA AFRONTAR LA VIDA CON UN HIJO CON TDAH. « Mi cabeza... es como si tuviera mil pies», *I. Orjales Villar.*

CLAVES PARA ENTENDER A MI HIJO ADOLESCENTE, *G. Castillo Ceballos.*

CÓMO DAR ALAS A LOS HIJOS PARA QUE VUELEN SOLOS. El niño sombra de sus padres, *F. X. Méndez Carrillo, M. Orgilés Amorós y J. P. Espada Sánchez.*

DEJAR EL PAÑAL. Un programa en 5 pasos, *T. Rosillo Aramburu.*

DROGAS, ¿POR QUÉ? Educar y prevenir, *D. Macià Antón.*

EL NIÑO AGRESIVO, *I. Serrano Pintado.*

EL NIÑO ANTE EL DIVORCIO, *E. Fernández Ros y C. Godoy Fernández.*

EL NIÑO CON PROBLEMAS DE SUEÑO, *J. C. Sierra, A. I. Sánchez, E. Miró y G. Buela-Casal.*

EL NIÑO HIPERACTIVO, *I. Moreno García.*

EL NIÑO MIEDOSO, *F. X. Méndez.*

ENSEÑANDO A EXPRESAR LA IRA. ¿Es una emoción positiva en la evolución de nuestros hijos?, *M.ª del P. Álvarez Sandonís.*

ERRORES EN LA EDUCACIÓN DE LOS HIJOS. Cómo evitar los 25 más comunes, *J. Fernández Díez.*

ESTIMADO HIJO: LO HE HECHO LO MEJOR QUE HE SABIDO. Cartas para mi hijo adolescente, *J. M. Fernández Millán y P. Serrano Peña.*

GUÍA DE OCIO EN FAMILIA. El tiempo que pasamos juntos, *L. Liédana, T. I. Jiménez, E. Gargallo y E. Estévez.*

LA EDUCACIÓN SEXUAL DE LOS HIJOS, *F. López Sánchez.*

LA INTELIGENCIA EMOCIONAL DE LOS PADRES Y DE LOS HIJOS, *A. Vallés Arándiga.*

LOS JÓVENES Y EL ALCOHOL, *E. Becoña Iglesias y A. Calafat Far.*

LOS PADRES Y EL DEPORTE DE SUS HIJOS, *F. J. Ortín Montero.*

¿MI HIJO ES TÍMIDO?, *M.ª Inés Monjas Casares.*

MI HIJO ES ZURDO, *J. M. Ortigosa Quiles.*

MI HIJO TIENE CELOS, *J. M. Ortigosa Quiles.*

MI HIJO TIENE MANÍAS, *A. Gavino.*

MI HIJO Y LA TELEVISIÓN, *J. Bermejo Berros.*

MI HIJO Y LAS NUEVAS TECNOLOGÍAS, *J. Urra.*

MIS HIJOS Y TUS HIJOS. Crear una nueva familia y convivir con éxito, *S. Hayman.*

PADRES DESESPERADOS CON HIJOS ADOLESCENTES, *J. M. Fernández Millán y G. Buela-Casal.*

PADRES E HIJOS. Problemas cotidianos en la infancia, *M. Herbert.*

¿QUÉ ES LA BULIMIA? Un problema con solución, *M.ª A. Gómez, U. Castro, A. García, I. Dúo y J. Ramón Yela.*

QUEREMOS ADOPTAR UN NIÑO, *M. C. Medici Horcas*

SER PADRES. Educar y afrontar los conflictos cotidianos en la infancia, *D. Macià Antón.*

SOY MADRE, SOY PADRE. Educar con afecto, reflexión y ejemplo, *M.ª G. González González y M.ª J. Murgui Murgui.*

TDAH: Elegir colegio, afrontar los deberes y prevenir el fracaso escolar, *I. Orjales Villar.*

UN ADOLESCENTE EN MI VIDA, *D. Macià Antón.*